DIOS
SALVA
PECADORES

DIOS SALVA PECADORES

Una exposición bíblica a los 20 temas
más importantes de la salvación de Dios

Oskar E. Arocha

Poiema Publicaciones

DIOS SALVA PECADORES / Oskar Arocha

© Poiema Publicaciones, 2016

A menos que se indique lo contrario, las citas bíblicas han sido tomadas de *La Biblia de Las Américas* (LBLA) ©1986, 1995, 1997 por The Lockman Foundation. Las citas marcadas con la sigla RV60 pertenecen a *La Santa Biblia, Versión Reina-Valera* ©1960 por las Sociedades Bíblicas Unidas; las marcadas con la sigla TLA, a *La Traducción al Lenguaje Actual* ©2000 por las Sociedades Bíblicas Unidas; Las marcadas con la sigla NBLH, a *La Nueva Biblia Latinoamericana de Hoy* ©2005 por The Lockman Foundation.

Poiema Publicaciones
e-mail: info@poiema.co
www.poiema.co

Categoría: Religión, Cristianismo, Teología, Biblia, Soteriología, Doctrina

ISBN: 978-1-944586-18-8
Impreso en República Dominicana
SDG

Contenido

Lista de abreviaturas

Obras importantes (en *Notas de texto*)

BAGD	The Bauer, Walter Greek-English Lexicon of the New Testament and Other Early Christian Literature, 3ra edición
BDB	The Brown, Driver, Briggs Hebrew and English Lexicon
BDF	Blass, F., A. Debrunner y R.W. Funk. A Greek Grammar of the New Testament and Other Early Christian Literature
EBC	Serie Expositors Bible Commentary
ICC	Serie The International Critical Commentaries
Louw-Nida	Greek-English Lexicon of the New Testament
NAC	Serie The New American Commentary
TDNT	Theological Dictionary of the New Testament

Biblias y versiones

AT	Antiguo Testamento
BJ	Biblia de Jerusalén
NBLH	Nueva Biblia Latinoamericana de Hoy
ESV	English Standard Version
KJV	King James Version
LBLA	La Biblia de las Américas
LXX	Septuaginta (Antiguo Testamento)
NASB	New American Standard Version
NT	Nuevo Testamento
NTG	Nestle-Aland Novum Testamento Graece, 27ma edición
NIV	New International Version
NVI	Nueva Versión Internacional
RV60	Santa Biblia, Versión Reina Valera

Agradecimientos

S obre todas las cosas doy gracias a Dios mi Padre y a Jesucristo mi confianza, mi pasión, mi redentor y mi Dios. Él puso en mi corazón una pasión por la Escritura y todo aquello que nos ha revelado en cuanto a la salvación de los pecadores. Gracias a Dios he tenido padres, hermanos, amigos, estudiantes, maestros y mentores que enaltecen la supremacía de Cristo y su obra redentora. ¡Gracias Dios!

Gracias Papi y Mami, porque desde pequeño me enseñaron la verdad y la modelaron con humildad y excelencia. Gracias amada mía, mi única, por tu apoyo incondicional. Gracias a Luis, mi hermano y mejor amigo, y a Juan José y Carlos, mis compañeros de teología. Gracias a todos los que me ayudaron en la redacción final: Jairo, Sandra, Toribio, Isaías, Lázaro, Papi, Mami, Patricia, Luis y Yadín. Gracias al Reformed Baptist Seminary y a la Academia Ministerial de la Gracia que por muchos años me dieron la oportunidad de enseñar cada uno de estos temas, y a los estudiantes que con sus excelentes comentarios y preguntas me sirvieron para que el documento final se adaptara y atendiera a los aspectos más importantes del tema. Gracias a todos que han permitido que este proyecto se convirtiera en una realidad. Quiera Dios que sea de bendición a muchos.

¡Te amo Jesús! ¡Gracias Dios!

Oskar E. Arocha

@oskararocha

DIOS
SALVA
PECADORES

Prólogo

por Miguel Núñez

Dios *Salva Pecadores* es el título de esta obra. Creo que todo cristiano verdadero puede afirmar esta gran verdad independientemente de su trasfondo doctrinal o denominación. Podríamos diferir en cuanto a cómo Dios lleva a cabo la elección y la salvación de los hombres, pero todo creyente que ha nacido de nuevo afirmaría que ciertamente es Dios quien salva a los perdidos.

Sin embargo, un buen número de hijos de Dios que afirma la verdad que acabamos de mencionar no entiende de qué manera la salvación fue planificada por Dios desde los tiempos eternos y cómo fue lograda por la vida, muerte y resurrección de Cristo. Otros creen entenderla, pero tienen algunas lagunas o tienen un entendimiento incompleto acerca de ciertos hechos relativos a la salvación de su alma.

Las razones por las que pasa esto pueden variar. En algunos casos, no se ha enseñado lo suficiente acerca de un tema tan crucial como la salvación de los hombres; en otros casos, la enseñanza se ha limitado a aspectos muy específicos de la redención, dejando de lado enseñanzas vitales de la salvación de nuestras almas. Hay grupos que entienden cómo Cristo logró la salvación en favor nuestro, pero carecen de entendimiento de cómo esta salvación es aplicada de manera individual a los hombres. Si estás en cualquiera de esos grupos, este libro es para ti.

Por otro lado, creo que un buen número de creyentes ha logrado entender la salvación, pero no ha logrado comprender la historia redentora. Una cosa es entender lo que Cristo hizo el viernes por la noche y el domingo por la mañana y otra cosa es entender lo que Dios planificó desde la eternidad pasada. Si no has entendido bien la historia de la redención desde antes de la creación del mundo hasta la venida del mundo venidero, entonces, esta obra es para ti también. Comprender la salvación de los hombres significa poder trazar la historia desde Génesis hasta Apocalipsis con un enfoque en la materialización de aquello que Dios pensó cuando solo existía la Trinidad. ¡Qué extraordinaria es esa verdad!

Si quieres tener un entendimiento claro, conciso y preciso de la teología bíblica de la salvación, este libro es un excelente recurso. Si limitamos el entendimiento de la redención del hombre a los hechos acontecidos entre el viernes cuando Cristo murió y el domingo cuando resucitó, no solamente terminaremos con una idea incompleta de la historia redentora, sino que con toda probabilidad terminaremos también con ideas incorrectas acerca de cómo Dios planificó dicha redención.

De una forma amena y resumida, Oskar Arocha te da un panorama que va desde la eternidad pasada hasta la eternidad futura. Desde que Dios eligió el hombre hasta que Dios lo salva después de que él cayó y se perdió en medio de la historia. Este es un libro doctrinal, pero también es un libro que narra aspectos importantes de una historia: la historia de la redención. Una de las fortalezas de este libro es que hace de esta historia complicada algo que tú puedes entender con relativa facilidad y brevedad sin tener que incursionar en grandes textos de teología sistemática;

te permite entender el mejor regalo que Dios haya podido darle al hombre —su salvación. Este libro nos ayuda a ver lo que el Padre ha hecho en favor nuestro, lo que el Hijo obró por gracia para beneficio del hombre y lo que el Espíritu Santo hace en el proceso de la redención de los descendientes de Adán. Al terminar esta libro, podrás comprender el rol de la Trinidad en favor de nuestra salvación.

Dios obra la salvación de los hombres (Dios solamente), pero la fe del hombre y su arrepentimiento son importantes en este proceso. Entender cómo la soberanía de Dios y la responsabilidad del hombre interactúan ha ocupado la mente de los teólogos por todos los siglos y aún no se ponen de acuerdo. Y probablemente no podremos hacerlo de este lado de la eternidad, pero como bien afirma el autor de este libro, no hay dudas de que Dios obra soberanamente en el hombre, lo que este termina haciendo el día de su salvación: el hombre cree y se arrepiente o el hombre se arrepiente y cree. Es un proceso dual, simultáneo e inseparable. En la sección de la salvación aplicada, podrás revisar algunas de estas verdades de una manera resumida y sencilla.

Nuestra salvación no culmina el día que conocemos a Cristo. Esto es algo que este libro te ayudará a entender. Hay todo un recorrido de santificación, perseverancia (vista desde la perspectiva humana) o de preservación (vista desde la perspectiva divina) hasta entrar en la gloria. El entendimiento de todo esto ocupa gran parte de la sección que trata de cómo la obra de Cristo es aplicada a nuestras vidas de forma individual.

Aplaudo el esfuerzo de unir estas ideas de una manera fluida. Entiendo que será un gran aporte para la iglesia latinoamericana, hecho por alguien que ha estado enseñando la doctrina de la salvación a personas que se han estado formando para pastorear iglesias en nuestra región, y que lo ha hecho por varios años. Esto es el fruto de su trabajo. Gracias, Oskar, por contribuir en el fortalecimiento de la iglesia hispana.

A medida que puedas ir entendiendo estos conceptos de una mejor manera, podrás disfrutar mucho más tu relación con Dios y tu vida de salvación. A partir de ese momento podrás tener un mayor gozo y una gratitud creciente hacia ese Dios que ha hecho todo lo necesario para rescatarte de su condición de perdición. Entender nuestra salvación no es solo un asunto doctrinal o de teología bíblica, sino que es un asunto de aplicación práctica. La falta de obediencia del creyente, de acuerdo a las palabras de Cristo, es un problema de falta de amor hacia Él. Pero la falta de amor hacia Jesús está íntimamente relacionada con una falta de gratitud por lo que Dios hizo en favor nuestro; y esa falta de gratitud puede relacionarse con una falta de entendimiento acerca de los conceptos expresados en este libro. Esa es la razón por la que celebro la llegada de este libro al número de obras en español, escritas por hispanos para el mundo hispanohablante.

Lee esta obra, entiende mejor la salvación que se te ha dado, celebra con gratitud la obra de Cristo en tu favor y seguramente podrás disfrutar mejor la vida abundante que Cristo compró para ti y para mí.

Introducción

Las verdades del evangelio de Jesucristo pueden ser resumidas en tres palabras: "Dios salva pecadores". Los pecadores no se salvan a sí mismos en ningún sentido, sino que la salvación es de principio a fin íntegra y completa; la salvación es del Señor, a quien le pertenece la gloria por siempre, amén[1]. Cristo vino a este mundo a salvar a pecadores, porque Él dijo: "Los sanos no tienen necesidad de médico, sino los que están enfermos. No he venido a llamar a justos, sino a pecadores al arrepentimiento" (Lc 5:31-32).

Planificada, lograda y aplicada

La redención de los pecadores inicia desde antes del principio y concluye con la maravilla de la gloria venidera, y todos los temas entre estos dos puntos se unen entre sí teniendo a Cristo Jesús como centro unificador. Esos temas pueden ser agrupados en tres grandes secciones: la redención planificada, lograda y aplicada[2]; planificada por el Padre, lograda por el Hijo y aplicada por el Espíritu Santo. Los primeros dos capítulos desglosan la enseñanza bíblica desde el punto de vista de la planificación, mostrando que en la mente de Dios, aun antes que existiera el tiempo, la redención había sido planificada.

Los capítulos 3 al 11 detallan la redención lograda. Esta segunda sección puede ser dividida a su vez en dos subsecciones: la primera que acude al contenido del AT (capítulos 3 al 7) y la otra que acude al del NT (capítulos 8 al 11). Desde el punto de vista del AT, el centro siempre fue el Mesías. Desde la caída de Adán, y confirmado en cada generación por medio de hombres y mujeres de Dios, el Mesías fue anunciado como la Simiente prometida, el Rey, el Profeta, el Sacerdote y el Siervo ungido de Dios. Desde el punto de vista del Nuevo Testamento, el énfasis se da en el acto histórico de Cristo crucificado en Gólgota como expiación por los pecados y de los resultados completamente logrados: la propiciación, la redención y la reconciliación.

Los capítulos 12 al 20 describen la redención aplicada. Es aplicada porque el Espíritu Santo aplica en los pecadores todas aquellas divinas bendiciones espirituales otorgadas y garantizadas en Cristo: el llamado, el nuevo nacimiento, la fe, el arrepentimiento, la justificación, la adopción, la santificación, la preservación y perseverancia y, finalmente, la glorificación. Para todos aquellos por los que Cristo murió en la cruz y logró redención, en un momento de sus vidas, de manera soberana y sobrenatural, el Espíritu aplica estas bendiciones.

En cuanto al propósito

El objetivo de este libro es servir de introducción a los 20 temas más importantes de la salvación de Dios expuestos en la Biblia. Es una introducción porque solo desarrolla los detalles más importantes de cada tema.

No es superficial, pero sin duda deja abiertas las puertas para que el interesado pueda profundizar más. La premisa es que una introducción a los 20 temas más importantes de cualquier doctrina debe dejar nuestros pies bien plantados. Mi anhelo y oración a Dios es que esa meta educativa sea lograda a través de este libro.

Es una introducción bíblica, en contraste con una académica o histórica. El desarrollo fluye desde el punto de vista bíblico y exegético, sin dedicarle tanto tiempo a los conceptos teológicos o a la historia de la doctrina. En ese sentido, no se encontrarán términos teológicos tales como arminianismo, calvinismo, dispensacionalismo o "teología del pacto", sino que más bien dialogará con los textos bíblicos más relevantes, el fundamento gramatical y exegético que estructuran su correcta interpretación y el apoyo académico de autores clásicos y recientes.

Esta introducción es profundamente doxológica, no meramente intelectual. A pesar de que el lector que más se puede beneficiar del contenido es uno que ya tiene algún conocimiento bíblico básico de la salvación de Dios, el propósito más profundo es que en cada capítulo la enseñanza bíblica produzca doxología cristocéntrica. Ruego a Dios que a todo lector le suceda tal como le sucedió a Pablo en Romanos 11, esto es, que luego de ser persuadido del conocimiento de Dios y de la gloria de la cruz, estalle como él en alabanzas a Cristo y pueda decir:

¡Oh, profundidad de las riquezas y de la sabiduría y del conocimiento de Dios! ¡Cuán insondables son sus juicios e inescrutables sus caminos! Pues, ¿quién ha conocido la mente del Señor?, ¿o quién llegó a ser Su consejero?, ¿o quién le ha dado a Él primero para que se le tenga que recompensar? Porque de Él, por Él y para Él son todas las cosas. A Él sea la gloria para siempre. Amén (Ro 11:33-36).

Una palabra para los maestros

Sin duda, la soteriología (doctrina de la salvación) me apasiona, porque anhelo ver a más personas enseñar la gracia de Dios, a más creyentes tener una fuerte fe y firme esperanza en Dios, y a más pecadores venir a los pies de Cristo. En ese sentido, el contenido de cada capítulo puede ser usado de distintas maneras para lograr diversos objetivos.

El contenido, independiente a las notas al pie, puede servirle al lector para iniciarse en estudios acerca de la salvación. También puede servirle para iniciar una reflexión, un serie de estudios en grupos pequeños o una conversación. Además, si desea profundizar o usar el libro como texto académico para una clase introductoria en seminarios o institutos bíblicos, las notas al pie tienen detalles adicionales de autores y de comentarios al texto original, y el Índice de las Escrituras sirve como guía para profundizar todo el contenido bíblico. Si un pastor lo desea usar como tema de predicación, tan solo hace falta que desglose las citas bíblicas, agregue ilustraciones en puntos claves y aplicaciones prácticas para allanar el camino de los hermanos y visitantes. Yo mismo lo he usado de esa manera y gracias a Dios he visto buenos resultados.

Finalmente, antes de iniciar, te ruego que alabes a Dios con estas hermosas palabras:

Y a Aquel que es poderoso para hacer todo mucho más abundantemente de lo que pedimos o entendemos, según el poder que obra en nosotros, a Él sea la gloria en la iglesia y en Cristo Jesús por todas las generaciones, por los siglos de los siglos. Amén.

Efesios 3:20-21

¡Alabado sea siempre el nombre de Cristo,
nuestro Salvador y Rey!

Notas de la introducción

1. James Packer & Mark Dever, *In my Place Condemned He Stood: Cele-brating the Glory of the Atonement.* (Wheaton: Crossway, 2007), 118.
2. Le debo parte de la estructura del contenido a John Murray. En su libro divide la salvación en dos partes: la redención lograda y aplicada (John Murray, *El plan de salvación*, trad. de Humberto Casanova [Grand Rapids: Eerdmans Publishing Co., 2001]).

1

La salvación
antes del principio

En el principio creó Dios los cielos y la tierra (Gn 1:1). Con estas palabras inician nuestras Biblias. Antes del principio no había nada,
ni siquiera el tiempo, solo el Creador, Dios Padre, Hijo y Espíritu Santo,
y entre ellos había gloria perfecta e inefable (Jn 17:22-24). Antes del
principio este Consejo Eterno divino planificó todo, incluyendo nuestra
salvación:

> … participa conmigo en la aflicciones del evangelio, según el poder de
> Dios, quien nos ha salvado y nos ha llamado con un llamamiento santo,
> no según nuestras obras, sino según Su propósito y según la gracia que
> nos fue dada en Cristo Jesús *desde la eternidad*[1], y que ahora ha sido mani-
> festada por la aparición de nuestro Salvador Cristo Jesús…
>
> 2 Timoteo 1:8[b]-10

En su comentario de las epístolas pastorales, Thomas Lea concluye
que aquí el apóstol Pablo resalta dos verdades importantísimas: primero,

que Cristo es presentado como el único mediador de la gracia redentora, y segundo, que Cristo era desde antes del principio del tiempo[2]. El pasaje dice que antes del principio la Trinidad había acordado un plan para redimir al hombre de sus pecados. Nos dice que en la mente de Dios la gracia había sido otorgada en Cristo, y en el tiempo la manifestación sobre el monte Calvario vino a ser la realización de lo previamente determinado.

El apóstol Pedro también dijo que Jesús "estaba preparado desde antes de la fundación del mundo" (1P 1:18-20), y el apóstol Juan dijo de Jesús que fue "el Cordero inmolado desde antes de la fundación del mundo" (Ap 13:8)[3]. Estos y otros pasajes revelan que el Dios trino había determinado que Dios el Hijo (Jesús) efectuara la obra redentora.

El Señor Jesús también dice esto. Repetidas veces declara haber recibido de parte del Padre la comisión de redimir y rescatar. En su discurso del Pastor y las ovejas dijo: "Tengo autoridad para dar Mi vida y para tomarla de nuevo, este mandamiento recibí de Mi Padre" (Jn 10:18). En otra ocasión dijo: "Esta es la voluntad del Que me envió: que de todo lo que Él (Padre) me ha dado yo no pierda nada" (Jn 6:36-39). Y cuando oraba en Getsemaní le dijo al Padre: "Yo te glorifiqué en la tierra, habiendo terminado la obra que me diste que hiciera. Y ahora, glorifícame Tú, Padre, junto a Ti, con la gloria que tenía contigo antes que el mundo existiera" (Jn 17:4-5).

La idea que Juan quiere trasmitir va más allá de las simples palabras. En una sociedad cuya cosmovisión fue extensamente influenciada por griegos intelectuales como Platón, quienes consideraban imposible unir la gloria divina con la encarnación[4], Juan conecta la encarnación con la deidad, la gloria divina, la redención y la preexistencia del Hijo. Juan logra conectar con aquel mismo fundamento con el que empezó su evangelio: "En el principio existía el Verbo, y el Verbo estaba con Dios, y el Verbo era Dios" (Jn 1:1). Y al unir todos los conceptos queda explícitamente exaltado el enfoque de la existencia del Verbo, no solo desde antes del principio, sino también como una divina naturaleza "supracósmica", es decir, que lo trasciende todo.

Las profecías también nos ilustran lo que había en la mente de Dios en cuanto a la salvación. Por medio de los profetas del AT el Espíritu reveló que ya el Padre había determinado quitarle la vida al Hijo (Is 53:10) y el Hijo había determinado cargar con el pecado (Is 53:4-6); el Padre le había preparado cuerpo (Heb 10:5-7; ver Sal 40:1-17) y, después de ser desfigurado, sería enaltecido, levantado y en gran manera exaltado (Is 52:13-15).

En resumen, antes del principio Dios el Padre se propuso enviar al Hijo al mundo con el fin de redimir, el Hijo se propuso aceptar, adquirir y asegurar tal comisión, y el Espíritu se propuso aceptar la encomienda del Padre y aplicar los méritos adquiridos por el Hijo.

Salvación antes del pecado

Cuando contemplamos esta asombrosa verdad, una pregunta común es: "¿Cómo Dios determinó proveer salvación si aún no existía el pecado?". No sabemos, porque no es el enfoque de la revelación divina. El texto no dice. Sin embargo, sería una gran pérdida si no viéramos que la salvación determinada y planificada antes del principio ilustra poderosamente lo teocéntrico que Dios es. Por eso el Hijo dijo: "Padre, glorifica a Tu Hijo, para que también Tu Hijo te glorifique a Ti" (Jn 17:1-5). "¡Oh, profundidad del conocimiento de Dios! [...] ¿quién ha conocido la mente del Señor?" (Ro 11:33-34).

El predeterminado consejo fue revelado para fortalecer la plena certeza de nuestra esperanza: que pronto estaremos con Cristo. Y ¡cuán útil es que meditemos en cómo esta hermosa y asombrosa verdad manifiesta la grandeza y la eternidad del amor de Dios! "Porque en esto consiste el amor: no en que nosotros hayamos amado a Dios, sino en que Él nos amó y envió a su Hijo como propiciación por nuestros pecados" (1Jn 4:10).

Antes del principio Dios nos amó y demostró este amor en la persona de Jesús, en el monte Calvario. ¿Cómo no hemos de confiar y adorar a Aquel que es soberano y conocedor de todo? ¿Cómo no alabar al Cordero que fue inmolado desde antes de la fundación del mundo? ¿Cómo no gozarnos en Dios, que trasciende el tiempo y todo lo creado? Él nos amó primero. Nos amó antes del principio.

Notas del capítulo 1

1.   La traducción literal del texto griego (πρὸ χρόνων αἰωνίων) es "antes de los tiempos de los siglos", es decir, "antes del principio".

2.   Thomas Lea y Hayne Griffin, *1, 2, Timothy, Titus: An Exegetical and Theological Exposition of Holy Scripture*, NAC, vol. 34, ed. David Dockery (Nashville: B&H Publishing, 1992), 192.

3.   Otra versión dice: "Cuyos nombres no han sido escritos, desde la fundación del mundo, en el libro de la vida del Cordero que fue inmolado" (LBLA). Pero atendiendo a la ambigüedad del texto original, también puede ser traducido: "Cuyos nombres no han sido escritos en el libro de la vida del Cordero que fue inmolado desde la fundación del mundo". En ambos casos el Cordero Inmolado estaba en la mente de Dios antes del principio.

4.   Gerald Borchert, *John 12-21*, vol. 25b NAC, ed. Ray E. Clendenen. (Nashville: B&H Publishers, 2002), 192.

2

Unidos a Cristo en la cruz[1]

La realidad espiritual más importante de nuestra relación con Dios es que hemos "muerto con Cristo" (Ro 6:8). ¡Es sorprendente! La Palabra revela que estábamos unidos a Cristo en la cruz y que unidos a Él ahora podemos recibir de Dios Padre toda bendición espiritual (Ef 1:3, 7; 2Co 1:20; Fil 4:19; 2Ti 1:1).

Esta relación es presentada en la Escritura como una relación de representación. En la primera carta a la iglesia en Corinto esta relación es comparada con nuestra relación de representación en Adán, cuando dice: "Así como en Adán todos mueren, también en Cristo todos serán vivificados" (1Co 15:22). Kistemaker destaca que el texto griego de la primera frase, la frase de Adán, está en tiempo pasado; sin embargo la segunda frase está en futuro[2]. Esta evidencia gramatical es importante porque en sentido cronológico, cuando este pasaje fue escrito, ya ambos acontecimientos habían ocurrido. Así que, en la historia de la redención, aun desde que Adán pecó y la promesa de gracia fue revelada, todos aquellos que han depositado su confianza en el Mesías fueron representados y han tenido un bendito futuro asegurado desde ese momento, para siempre.

Por otro lado, otro pasaje en Romanos dice: "Tal como por una transgresión resultó la condenación [...] así también por un acto de justicia resultó la justificación" (Ro 5:18). Estábamos unidos a Cristo en ese "acto de justicia" expresado en el Calvario, pero hay más. Según Mounce la construcción gramatical de la frase "acto de justicia" se refiere normalmente a un pronunciamiento más que a una acción. Indica un proceso completado más que un solo acontecimiento. Y unido a frases del contexto tales como "el juicio" en el verso 16, el autor está apuntando a una "sentencia de justificación".[3] En otras palabras, la unión con Cristo no solo conecta específicamente a la cruz de Cristo, sino también, en un sentido integral, a todo aquello que fue logrado por él: vida, muerte, resurrección y gloria (ver Ef 2:4-7; Ro 6:8).

Extraordinariamente trascendental

Nuestra unión a Cristo en la cruz es trascendental porque cuando Cristo fue crucificado, ya la unión había sido decidida antes de la fundación del mundo. El Padre nos bendijo "en Cristo, según nos escogió en Él [Cristo] antes de la fundación del mundo" (Ef 1:3) y esa gracia "nos fue dada en Cristo Jesús desde la eternidad" (2Ti 1:9).

Esta realidad se ilustra como si en cada momento pasado, presente y futuro el Padre nos observara a través de unos anteojos llamados 'crucificados juntamente con Cristo'. Y no importa si fue 2000 años antes de Cristo con algún creyente de Ur de los Caldeos (Abraham), o si fue en el momento exacto en que la sangre fue derramada en el Gólgota, o si es 2000 años después, el Padre considera a los suyos "muertos con Cristo".

Ante lo extraordinario de esta realidad espiritual, algunos teólogos de siglos pasados hablaron de esta unión como una unión "mística"[4], no porque sea mágica, sino porque no tenemos palabras para explicar tan maravillosa realidad. La Escritura dice que cuando Cristo murió en la cruz, todos aquellos por quienes murió murieron juntamente con Él, y cuando resucitó, resucitaron con Él (Ro 6:6-8). "Aun cuando estábamos muertos en nuestros delitos, nos dio vida juntamente con Cristo (por gracia han sido salvados), y con Él nos resucitó" (Ef 2:4-6).

¿Quiénes murieron juntamente con Cristo?

Entonces, si Cristo conocía y tenía una relación existente con aquellos por quienes murió, ¿quiénes fueron aquellos que murieron juntamente con Él?[5] Esa pregunta nunca falta en este tema. La Escritura responde, sin mencionar nombres o apellidos, que cuando Cristo murió en la cruz, aquellos por quienes murió Dios les llamaba Su linaje, Su pueblo, Sus ovejas y Su Iglesia.

En el anuncio profético de la muerte de Jesús, el profeta Isaías declara: "Cuando haya puesto su vida en expiación por el pecado, verá linaje" (Is 53:10). En el anuncio profético de Su nacimiento el ángel del Señor dijo: "llamarás Su nombre Jesús, porque Él salvará a Su pueblo de sus pecados" (Mt 1:21). En el conocido discurso del Pastor y las ovejas Jesús dijo: "Yo soy el Buen Pastor; y conozco mis ovejas […] y pongo mi vida por las ovejas" (Jn 10:14, 16). Y en su discurso sobre el diseño del matrimonio según Dios, el apóstol Pablo dijo: "Amen a sus mujeres, así como Cristo amó a la iglesia, y se entregó a Sí mismo por ella" (Ef 5:23-25).

Estos distintos títulos (linaje, pueblo, iglesia y ovejas) aluden a los redimidos que murieron juntamente con Cristo, y aun así nosotros no sepamos sus nombres, Dios sí los sabe. Jesús dijo: "Yo conozco a Mis ovejas

[...] así como el Padre me conoce y Yo conozco al Padre, y doy Mi vida por las ovejas" (Jn 10:14-15). Dios las conoce por sus nombres, son Suyas y las ama en Cristo, que dio Su vida por ellas.

Es maravilloso considerar cada titular:

» *Linaje* habla de hijos y de una descendencia pura que proviene del Progenitor o Padre.
» *Pueblo* introduce un concepto de comunidad y un lugar de desarrollo y disfrute ilustrado por Israel en la tierra de Canaán.
» *Iglesia* presenta la relación más íntima, la unión de un hombre y su mujer, donde dos vienen a ser una sola carne.
» *Ovejas* conecta al rebaño indefenso y en riesgo, pero que tiene un Pastor que guía, ama y protege. Nos remonta a David que dijo: "Jehová es mi Pastor, nada me faltará" (Sal 23:1), y al patriarca Jacob que dijo: "De allí es el Pastor, la Roca de Israel" (Gn 49:24).

Estos redimidos que individualmente se relacionan a Dios en Cristo son gente de cada pueblo, lengua, tribu y nación (Ap 5:9). Ellos conforman un solo pueblo, un solo rebaño, un solo Israel, una sola iglesia, una sola nación, y todos bajo un solo Rey, Jesucristo, el Rey de gloria. Y sabiendo que somos de Dios, unidos indivisiblemente en Cristo, podemos, entonces, estar seguros de toda bendición y toda promesa. Tenemos una esperanza viva para vivir con gozo pleno. ¡Podemos fijar nuestras esperanzas plenamente, con gozo celestial, en Cristo, tanto que seamos así las personas más libres sobre la tierra!

Notas del capítulo 2

1. Hay un aspecto de la unión que no es considerado en este corto artículo. La unión es desarrollada de manera experiencial en cada una de nuestras vidas por medio de la fe. Ya que Cristo murió por nosotros, en un momento de la vida creemos y somos unidos a Dios en Cristo. Así lo describe el apóstol Pablo en pasajes como Gálatas 3:26-29, donde dice: "Todos ustedes son hijos de Dios mediante la fe en Cristo Jesús [...] todos ustedes son uno en Cristo".

2. Simón Kistemaker, *Exposición de la Primera Epístola a los Corintios.* (Grand Rapids: Baker Book House, 1998), 598.

3. Robert Mounce, *Romans*, NAC, np. 143, ed. E. Ray Clenden (Nashville: Broadman & Holman, 1995), 145.

4. John Murray, *El plan de salvación*, trad. Humberto Casanova (Grand Rapids: Eerdmans Publishing Co., 2001), 164.

5. Entre teólogos esto es conocido como el *alcance de la redención*.

3

La caída y la misericordia

En el sexto día de la creación dijo Dios: "Hagamos al hombre" (Gn 1:26). Dios creó al hombre y a la mujer a Su imagen y semejanza. Dios también los bendijo (Gn 1:26-28) y, a pesar de haberlos creado "un poco menor que los ángeles" (Sal 8:5; Heb 2:5-9), los coronó de gloria y majestad para señorear sobre la grandiosa creación.

Al final del relato de la creación, la palabra dice que "ambos estaban desnudos […] y no se avergonzaban" (Gn 2:25), dando a entender la pureza de la relación entre el hombre y la mujer, y la de ellos con toda la creación, como resultado de su directa relación con Dios[1]. El hombre y la mujer eran la cúspide de la perfecta creación de Dios. Pero la serpiente era astuta.

La serpiente era astuta

Génesis 3:1 dice: "La serpiente era astuta más que todas las bestias del campo que Jehová había creado" (Traducción del autor). Esto indica que la serpiente fue el antagonista, y el énfasis del pasaje es su astucia. El texto no se enfoca en definir a la serpiente como una bestia del campo[2], sino que no había nada creado con más astucia. Es decir, la serpiente fue más astuta que todo lo creado. Y no solo fue más astuta que todos los animales, sino que la narrativa muestra que aun fue más astuta que el hombre. Si la historia en Edén hubiera terminado en el verso 13, la serpiente hubiera vencido.

Su gran astucia fue necesaria porque la serpiente sabía que no era suficiente con solo comer del árbol. Sin embargo, para derrocar al hombre de su investida majestad, la serpiente sabía que las acciones de Adán y Eva debían ser voluntarias y en rebelión al Creador. Esta gran astucia se evidencia en sus tácticas:

> » *Habló a la mujer*. Determinó hablar con la mujer, a pesar de que el hombre estaba "con ella" (Gn 3:6).
> » *Menospreció la palabra de Dios*. Conocía la palabra de Dios y la tergiversó. Dios había dicho: "*De todo*[3] árbol del huerto podrás comer" (Gn 2:16), pero la serpiente dijo: "*...de ningún*" (Gn 3:1).
> » *Menospreció el carácter de Dios*. Les dijo: "Dios sabe que el día que de él coman, se les abrirán ojos" (Gn 3:5 NBLH). Con esas palabras sugirió que Dios no les había dado toda la verdad, ni total libertad, ni plena experiencia, esperando que ellos menospreciaran en sus corazones la bondad de Dios y logrando sembrar la incredulidad dentro de ellos.

El astuto plan de la serpiente funcionó, y tan pronto cambió el corazón de Adán y Eva hacia Dios, vieron el árbol como algo magnífico. El verso 6 dice: "La mujer vio que era bueno para comer [...] que tenía buen aspecto y era deseable". Tan pronto cayeron los dos pilares de su relación con Dios, esto es, Su palabra y Su bondad, los malos deseos de su mismo corazón se vieron arrastrados y seducidos. El deseo fue concebido y pecaron: ella tomó, comió y dio a su marido, que también comió.

La relación con Dios había sido quebrantada. Por el pecado cometido, sus ojos fueron abiertos y conocieron que estaban desnudos. Luego agregaron a su necedad haciendo lo que todo pecador intenta hacer: por miedo a ser condenados, se esforzaron por cubrir su pecado con delantales de hojas. El profeta Job resalta el error de este primer intento de "salvación por obras" cuando dijo: "¿Acaso he cubierto mis transgresiones como Adán?" (Job 31:33ª). ¡Qué infantil! ¡Tratar de cubrir una condena cósmica con un par de hojas! Pero así somos.

Confrontados por Dios para misericordia

Ellos sabían lo que habían cometido y, cuando reconocieron la presencia de Dios, se escondieron (Gn 3:8). Sucedió casi como por instinto, pues evidentemente no confiaron en sus 'maravillosos' delantales de hojas. Y es interesante notar una ilustración en su conducta, porque la narrativa muestra una representación física del problema espiritual: estando avergonzados y atemorizados porque habían roto la pureza de su relación con Dios, se cubrían y se escondían de Él.

Entonces, fueron confrontados por la presencia y la palabra de Dios, por medio de varias preguntas: "¿Dónde estás? ¿Quién te ha hecho saber que estabas desnudo? ¿Has comido del árbol del cual te mandé que no comieras? ¿Qué es esto que has hecho? (a la mujer)". A cada pregunta dieron respuestas verdaderas de lo que había sucedido, si es que solamente contamos el sentido estricto de las palabras, pero entre líneas se justificaban: "la mujer que me diste […] me dio del árbol" y "la serpiente me engañó" (Gn 3:8-13).

Este diálogo de confrontación revela dos verdades cruciales que existen a partir de ese día como resultado de la muerte del corazón (alma) y el cuerpo. La primera verdad es que el corazón del hombre está muerto. Tan pronto entró el pecado, entró la muerte espiritual. A partir de ese momento sus deseos no serían para Dios, sino para la carne y el mundo. Ellos mismos lo demuestran, porque tan pronto encontraron placer en lo prohibido, pecaron tomando y comiendo, pecaron tratando de cubrir sus pecados, pecaron tratando de esconderse de la presencia de Dios, tuvieron pavor de confesarse ante Dios y pecaron tratando de justificar sus malos actos. Desde el momento de la caída, la humanidad ha sufrido una especie de "esquizofrenia moral".[4]

La segunda verdad es que Dios ha sido misericordioso. Dios les había dicho: "El día que de él comas, ciertamente morirás" (Gn 2:17), pero algo ocurrió, porque eso no fue exactamente lo que sucedió. ¿Qué sucedió? A pesar que lo justo era la muerte súbita del alma y del cuerpo, Dios, en su paciencia, aplazó la muerte del cuerpo dándole al hombre una promesa (Gn 3:15) y la oportunidad del arrepentimiento.[5]

La paciencia de Dios se ve aún con mayor claridad cuando contrastamos el trato de Dios hacia la serpiente. Para el hombre hubo paciencia y misericordia, pero para la serpiente solo rigurosa condenación. Dios confrontó al hombre y le dio una promesa, pero a la serpiente le hizo inmediata condena y le dijo: "Maldita serás" (Gn 3:14). Dios "no perdonó a los ángeles que pecaron" (2P 2:4; Heb 2:5, 16).

Finalmente, hay un contraste más a considerar que revela redención y esperanza. El contraste es entre Caín y Adán. Caín también fue confrontado y se le mostró paciencia, pero su reacción fue que "se levantó contra su hermano Abel y lo mató". Y luego cuando Dios le dijo: "¿Dónde esta tu hermano Abel?", Caín mintió diciendo, "no sé", por tanto el Señor le dijo: "Maldito eres" (Gn 4:1-11)[6].

En cambio, luego de que Dios diera la promesa a Adán y a Eva, la narrativa muestra evidencias de fe en ellos y aceptación de parte de Dios. En respuesta a la promesa de que un hijo de Eva (la simiente) destruiría a la serpiente, Adán "le puso por nombre Eva a su mujer, porque era la madre de todos los vivientes"[7]. Y en sustitución de los delantales de hojas que habían cocido para cubrirse, el Señor Dios les "hizo vestiduras de piel [...] y los vistió" (Gn 3:20-21). Fueron vestidos por Dios como señal, hasta que llegara el día del cumplimiento de la promesa, el día en que la simiente habría de aplastar la cabeza de la serpiente mientras[8] la serpiente habría de herirla en el calcañar, en la cruz. Y hasta ese día glorioso, la alabanzas y la esperanza de inmortalidad en el ser humano descansaban en la futura victoria del Mesías prometido.

Notas del capítulo 3

1. La conexión directa entre la relación con Dios y la relación con los demás es evidente. Cuando entra el pecado al mundo y se daña la relación con Dios, también se daña la relación con los demás. El texto relaciona esta idea con la desnudez y la vergüenza que ambos tenían.

2. Mucho se ha debatido sobre la relación entre el diablo y la serpiente. Algunos dicen que era una verdadera serpiente usada por satanás, basados en el lenguaje explícito de la maldición (Gn 3:14; Is 65:25). Otros dicen que satanás tenía aspecto de serpiente. Otros, fundamentados en cómo el resto de la Biblia alude a la serpiente (ver Ro 16:20; Ap 12:9; 20:2), entienden que no era un animal del campo, sino que ese fue el título que Moisés le colocó. No obstante, ese no es el énfasis central del texto, sino la gran astucia que la serpiente tenía.

3. Algunas traducciones de Génesis 2:16 (como LBLA) no resaltan el énfasis del verbo hebreo traducido "podrás comer". El verbo está en infinitivo, indicando certeza, que en este caso muestra una firme intención de parte de Dios y, por lo tanto, bondadosa, contrario a lo que el diablo sugiere (3:1). Una traducción más completa puede ser: "De todo árbol del huerto *libremente* [*ciertamente*] podrás comer". La construcción del verbo es la misma encontrada al final del siguiente verso, que comúnmente traduce "*ciertamente* morirás" (RV60, NVI).

4. Alec Motyer, *Look at the Rock: An Old Testament Background to our Understanding of Christ* (Grand Rapids: Inter-Varsity, 1996), 118-119.

5. Esta constante misericordia es expresada en otras secciones de la Biblia. Por ejemplo: "Por la bondad de Yavé no hemos sido consumidos, porque nunca cayeron Sus misericordias" (Lam 3:22 RV60; Éx 33:1-6, 34:1-9). "La bondad de Dios te guía al arrepentimiento" (Ro 2:5-6). "El Señor [...] es paciente con ustedes, no queriendo que nadie perezca, sino que todos vengan al arrepentimiento" (2P 3:8-10).

6. El pecado cometido mantiene sus consecuencias, porque aun le fue dada promesa a Adán y a Eva, y Dios les aceptó su fe. También Dios dijo: "Maldita será la tierra por tu causa", y aparecen otros detalles más que resultaron como consecuencia del pecado.

7. Hay varias evidencias en la narrativa prediluviana de Génesis de que el significado del nombre que algunos padres pusieron a sus hijos representa una profunda convicción atada a la promesa mesiánica de Génesis 3:15. Por ejemplo Génesis 3:20; 4:2; 4:25; 5:29 entre otros. Génesis 3:20 muestra la fe de Adán y Eva basada en lo que Dios les había revelado (Kenneth Mathews, *Génesis 1—11:26*, NAC, vol. 1a, ed. E. Ray Clenenden [Nashville: Broadman & Colman Publishers, 1996], 254). También el nombre de Noé, cuando Lamec "le puso por nombre Noé, diciendo: Este nos dará descanso" (Gn 5:29). Tal acción expresaba la fe de Lamec (Bob Utley, *How It All Began: Génesis 1--11*, Study Guide Commentary Series, vol. 1a [Marshall: Bible Lessons International, 2001], 84). El caso de Noé es importante también porque muestra que la fe de los antiguos estaba fundamentada en el reverso de la destrucción causada en Génesis 3, y que a su vez tal reverso de la maldición sería alcanzada por un hijo de Eva. Tal convicción indica una fe mesiánica. Mathews comenta que Lamec anhelaba un redentor y una futura victoria como la de Génesis 3:15 (Mathews, *Génesis 1—11:26*, 318).

8. Parece apropiado usar la palabra "mientras" como traducción de la conjunción hebrea *vav* de Gen 3:15b por varias razones: 1) *vav* normalmente traduce "y", pero si el contexto lo amerita, también puede significar "pero, más, aunque, mientras". (2) La herida en la cabeza no es una reacción a la herida en el calcañar. (3) La herida en la cabeza va primero y representa una herida fulminante. Como la herida al calcañar no es antes ni después de la herida en la cabeza, entonces, si hemos de considerar una oportunidad para esta herida, esa tendría que ser mientras se daba la otra herida. Por tanto, la promesa presenta la victoria de la simiente mientras recibe la herida en el calcañar.

4

El León de la tribu de Judá

Jesucristo es el Rey de gloria, el Rey redentor. Jesús vino al mundo como el prometido Rey eterno, el Hijo de Dios, el hijo de Adán y de Abraham, del linaje de Judá y de David, para, por medio de la muerte, vencer y humillar a todos sus enemigos, estableciendo para Sí mismo y para la gloria del Padre un reino y un pueblo leal a Su imperio.

Esta realidad es presentada desde el inicio de la historia hasta el final, desde Génesis hasta Apocalipsis. Cuando Adán y Eva pecaron en Edén, les fue prometido un hijo redentor, el "Mesías". Adán, a quien se le había conferido todo dominio (Gn 1:26), ahora yacía derrotado por el adversario (Gn 3:8-20). Pero Dios prometió que Su Hijo sería más fuerte que el adversario para obtener una aplastante victoria final (Gn 3:15; Ro 16:20).

El Mesías prometido

La esperanza de Abraham descansó en la promesa divina de un futuro Mesías rey gobernante. El Señor le dijo a Abraham: "Tu descendencia poseerá la puerta de sus enemigos. Y en tu simiente serán bendecidas todas las naciones de la tierra" (Gn 22:17-18; ver Gn 26:4 a Isaac; Gn 28:14 a Jacob; Gá 3:16). Esta fue la esperanza de Jacob, pues él profetizó sobre su descendencia aquellas cosas que habrían de suceder "en los días venideros"[1] (Gn 49:1) diciendo:

> *Cachorro de león es Judá* [...] Se agazapa, se echa como *león* [...] El *cetro* no se apartará de Judá, ni la vara de *gobernante* de entre sus pies, hasta que venga Aquel a quien pertenecen todas las cosas (SILOH), y a Él sea dada la obediencia de los pueblos [...] ¡Tu salvación espero, oh Señor! [...] el Poderoso de Jacob [...] el Pastor, la Roca de Israel.
>
> Génesis 49:10-11, 18, 24

Moisés también escribió aquella profecía de Balaam destinada para los "días venideros" (Nm 24:14). La profecía presenta a este gobernante León de la tribu de Judá: Su reino será "exaltado", devorará "a las naciones que son Sus adversarios" y saldrá "de Jacob" (Nm 24:7, 8, 19).

Así lo entendieron las generaciones hasta Moisés y todo Israel después de ellas porque el escriba de las Crónicas de los reyes de Judá habló sobre Judá y de su descendencia así: "Judá prevaleció sobre sus hermanos, y de él procedió el príncipe" (1Cr 5:1-2), y también el salmista: "[El Señor] desechó también la tienda de José [...] escogió a la tribu de Judá" (Sal 78:67).

Esta esperanza también la podemos ver en creyentes que no fueron grandes profetas o líderes del pueblo y que vivieron antes de la dinastía de los reyes en Israel. Ana, la madre de Samuel, oró y dijo: "Los que se oponen al Señor serán quebrantados [...] el Señor dará fuerza a Su rey, y ensalzará el poder de Su ungido" (1Sa 2:1, 10).[2]

Más adelante, Dios ilustró al futuro rey ungido en la persona de David y su reino. Luego por medio de David ratificó la promesa y fue aún más específico en cuanto a la descendencia. Durante la coronación de Salomón limitó la llegada del Mesías a un futuro hijo de él:

Cuando tus días se cumplan y reposes con tus padres, levantaré a tu descendiente después de ti, el cual saldrá de tus entrañas, y estableceré Su reino. Él edificará casa a Mi nombre, y Yo estableceré el trono de Su reino para siempre. Yo seré padre para Él y Él será hijo para Mí.

2 Samuel 7:12-14

David habló de un día más allá de la muerte de Salomón en que Dios levantaría de Su descendencia a un Rey con un reino eterno, que edificaría casa final para el nombre del Señor y que sería Hijo de Dios (ver Sal 2:7-12).

Siglos después el profeta Isaías declaró que este Hijo nacería de una virgen como señal retroactiva[3] del disgusto del Señor contra la incredulidad del rey Acaz (Is 7:14). Sobre ese niño estaría el nombre de Dios mismo (Emmanuel: Dios con nosotros). Además:

...la soberanía reposará sobre Sus hombros; y se llamará Su nombre Admirable Consejero, Dios Poderoso, Padre Eterno, Príncipe de Paz. El aumento de Su soberanía y de la paz no tendrán fin sobre el trono de David y sobre Su reino.

Isaías 9:6-7

Unos 600 años después, basado en esta doctrina y cultura profética mesiánica de miles de años, las expectantes multitudes que iban delante de Jesús gritaban a las puertas de Jerusalén: "¡Hosanna al Hijo de David! ¡Bendito el que viene en el nombre del Señor!" (Mt 21:5-9, 15; Mr 11:9-10; Jn 12:13; ver Hch 13:22-23).

El Mesías en retrospectiva

Esta historia del Mesías que comenzó en Edén es resumida de manera magistral por el autor del libro de Hebreos. El autor en su primer capítulo toma exclusivamente textos del AT que apuntan a Cristo como Hijo de Dios, Dios mismo, Creador y Rey eterno, para luego resaltar que así como Adán fue creado un "poco inferior a los ángeles", también Jesús lo fue (Heb 2:1-9). Y que Jesús, participando de "carne y sangre", es aquel que anuló "mediante la muerte el poder de aquel que tenía el poder de la muerte, es decir, el diablo", para "librar" a los que "estaban sujetos a esclavitud durante toda su vida" (Heb 2:14). Por medio de la muerte, Jesús logró vencer al diablo, morir por todos nosotros, comprar nuestra libertad, restaurar todas las cosas y ser coronado de gloria y honor como supremo Rey.

Estas verdades señaladas por el autor de Hebreos y que exaltan a Jesús como Rey conforman aquella misma promesa que fundamentaban la fe de Adán, Abraham, Moisés, David y todo aquel que creyó. Ellos pusieron su confianza en un futuro descendiente que aplastaría a la serpiente y a todos sus enemigos. Luego, en el cumplimiento del tiempo, Jesús nació en Belén, vivió una vida perfecta y logró por medio de Su muerte y resurrección la redención de Su pueblo.

La victoria fue lograda y lo que ahora vislumbramos es el aumento de las fronteras de Su reino hasta aquel día de nuestra esperanza, donde Jesús restaurará todas las cosas según la victoria del Calvario. Un día Él volverá montado sobre un caballo blanco con espada afilada para herir a las naciones, con un victorioso nombre escrito en Su manto y en Su muslo: "Rey de reyes y Señor de señores" (Ap 19:15-16).

Notas del capítulo 4

1. La frase "días venideros" o "últimos días", usada en la Biblia Hebrea, es catalogada en teología como "escatológica". Esto significa que hace referencia a la época futura del rey Mesías, donde habrá días de instauración, redención, juicio, ira, justicia y restauración de todas las cosas. En sentido práctico, se refiere a los días que comprenden la primera y segunda venida de Cristo (John Sailhamer, *The Meaning of the Pentateuc: Revelation, Composition and Interpretation* [Downers Grove: InterVarsity Press, 2009], 36-40, 240-244, 332-338).

2. La declaración de Ana en cuanto al "Rey" es tan sorprendente que muchos académicos liberales consideran que estas palabras fueron dichas en otra época (anacronismo), ya que Israel no tenía rey en ese momento de su historia (Klein, *1 Samuel*, 15, y Philbeck, *1–2 Samuel*, 16, ed. C. J. Allen [Nashville: Broadman, 1970]; en Robert D. Bergen, *1 Samuel*, NAC, vol. 7, ed. E. Ray Clendenen [Nashville: Broadman & Holman Publishers, 1996], 77). Sin embargo, obviando las referencias ya existentes en el Pentateuco, se equivocan. Los ejemplos de Adán, Abraham, Jacob, Moisés y Ana muestran que la doctrina mesiánica de tiempos antiguos era central en toda la soteriología (doctrina de la salvación) de los creyentes.

3. En sentido general, la Escritura presenta cuatro tipos de señales: (1) *Señales futuras*: señales que en el futuro validarán al mensaje o al mensajero divino (Éx 8:19). (2) *Señales presentes*: eventos o milagros que en el presente validan al mensaje o al mensajero divino (Éx 4:8-9; Mt 12:38-39). (3) *Señales retroactivas*: eventos futuros que validarán la verdad presente (Éx 3:12; Is 7:14). Por ejemplo, cuando Dios ordenó a Moisés liberar al pueblo de Egipto, le dijo: "La señal para ti de que Yo Soy te ha enviado será esta: Cuando hayas sacado al pueblo de Egipto, adorarán a Dios en este monte" (Éx 3:12). La señal de Isaías 7 es una señal retroactiva porque, cuando nazca el hijo de la virgen, será evidencia de la presente incredulidad del rey Acaz, quien en arrogancia se negó a pedir una señal que validara el mensaje divino. (4) *Señales memoriales*: ceremonias o instrumentos en representación de un acontecimiento divino pasado que en el futuro servirá para validar y recordar tal acontecimiento (Éx 12:13; 1Co 11:23-26).

5

El Profeta mayor que Moisés[1]

E l fundamento de la temática Profeta-Mesías se desarrolló en Sinaí, aquella montaña de Dios donde acampó el pueblo el primer día del tercer mes después de la salida de Egipto. Allí el Señor desplegó ante el pueblo grandes maravillas e hizo con ellos un pacto temporal conocido como el antiguo pacto. Las primeras palabras del pacto prometían un "reino *de* sacerdotes y una nación santa" (Éx 19:5-6), pero terminó siendo para Israel un reino *con*[2] sacerdotes y una nación incrédula con una constante necesidad de purificación.

El Profeta de Sinaí

¿Qué pasó? Sinaí fue diseñado por Dios como un lugar de adoración, porque le dijo a Moisés: "Cuando hayas sacado al pueblo de Egipto, adorarán a Dios en este monte" (Éx 3:12). La intención de Dios en ese lugar era exaltar Su majestad y revelar a plena luz del día el corazón del hombre delante de Él[3]. En otras palabras, la narrativa de Sinaí debe ser entendida en el contexto de que el Señor revela a Israel Su persona, carácter y promesas, y también de que es descubierta la conducta espiritual de Israel, que resultó como reacción a esa revelación.

El pueblo llegó a Sinaí y allí Dios les reveló Su pacto. Fue un pacto fundamentado en la gracia[4], que demandaba lealtad y señalaba un glorioso propósito final para Israel (Éx 19:4-6). El pueblo aceptó las palabras (Éx 19:7-8) y allí el Señor probó[5] sus corazones (Éx 19:9; 20:20). Por medio de Moisés, el Señor ordenó al pueblo que se consagrara y se alistara porque al tercer día descendería a la vista de todo el pueblo, y cuando sonara "largamente la bocina", ellos *debían* "subir al monte [...] al encuentro con Dios" (Éx 19:10-13, 17). Pero el pueblo no puso su confianza en Dios ni en la promesa de Su pacto, y "no subieron" (Dt 5:5). El pueblo se quedó "al pie del monte"; no se acercaron a adorarlo, sino que se quedaron a "distancia" (Éx 19:17; 20:18-21). La relación espiritual entre el pueblo y Dios era eso: una 'relación a distancia'.

Sus corazones fueron expuestos y hasta reconocieron que no estaban aptos para acercarse a Dios en tal condición espiritual[6]. Por esa razón, pidieron al Señor y el Señor aceptó reconfigurar el pacto para que no murieran (Éx 20:18-21; Dt 5:21-29). Entonces, allí les dio leyes, un sacerdocio y un tabernáculo, a fin de que pudieran adorar "a distancia" hasta que llegara el cumplimiento del Profeta prometido como Moisés (Éx 20:18-21; Dt 18:15-19). El Profeta prometido alcanzaría todo aquello que fue inalcanzable para el pueblo, aun para Moisés como mediador. Así, al final, por medio del Profeta-Mesías, el pueblo sería para Dios un reino de sacerdotes y una nación santa.

La evidencia mesiánica más clara está detallada en Deuteronomio 18:15-18.[7] Mientras el enfoque central de Éxodo 20:18-21 y Deuteronomio 5:23-27 apuntan a la realidad de que el pueblo no estaba apto para acercarse a Dios, Deuteronomio 18 se concentra en el oficio del

Profeta mediador que el pueblo necesitaba. Allí Moisés recuerda al pueblo que la promesa del futuro Profeta mediador como Moisés fue "conforme a todo lo que pidieron al Señor en Horeb *el día de la asamblea*" (Dt 18:16).[8] Pero ¿por qué esperar por otro como Moisés si Moisés estaba disponible? Porque aunque Moisés había sido fiel por 40 años (Nm 12:6-8), nada pudo lograr para alcanzar el perdón de los pecados del pueblo (Éx 32:30-35), sino todo lo contrario. Al final, hasta el mismo Moisés se contaminó con la incredulidad del pueblo (Nm 20:1-12; Dt 3:26).

El Profeta prometido

¿Quién sería el futuro Profeta prometido? El mismo Pentateuco presenta que este profeta sería tal como Moisés, pero en términos exclusivamente escatológicos[9] y mesiánicos (Dt 34:10; ver Hch 3:20-23; 7:37-38). Sería un profeta como Moisés, pero mucho mayor. Sería el Mesías prometido.

La narrativa de más de 40 años en el desierto obliga a considerar que la necesidad en Horeb estaba más allá de Moisés, y que tal Profeta prometido tendría que alcanzar todo lo que fue inalcanzable para Moisés. Sería alguien que no solamente pudiera acercarse a Dios y llevara un mensaje al pueblo, sino alguien que no pudiera ser corrompido por el pueblo, que pudiera cargar el pecado del pueblo sobre Sí (Éx 19:4) y darles un nuevo corazón para acercarse al Señor en adoración.

Según Moisés, solamente una persona podía lograr esa obra monumental: el Señor mismo. La respuesta está claramente expresada al final del Pentateuco en Deuteronomio 29:2-4; 30:6:

Y convocó Moisés a todo Israel y les dijo: Ustedes han visto todo lo que el *Señor hizo* [...] aquellas grandes señales y maravillas. *Pero hasta el día de hoy el Señor no les ha dado corazón para entender*, ni ojos para ver, ni oídos para oír [...] el Señor tu Dios circuncidará tu corazón y el corazón de tus descendientes, para que ames al Señor tu Dios con todo tu corazón y con toda tu alma, a fin de que vivas.

¿Pudiera ser que el profeta mesiánico haría las justas obras que solamente son atribuídas al Señor Dios? Y considerando que sería un profeta "de tus hermanos" (Dt 18:15), ¿sería la misma persona que Dios prometió a los patriarcas, en quien serían "benditas todas las naciones de la tierra" (Gn 22:17-18; 26:4)? ¿Sería el hijo de Eva, el destructor de la serpiente y el conquistador de la muerte (Gn 3:15)? ¿Sería aquel Rey de la tribu de Judá de quien profetizó Jacob (Gn 49:10)? ¿Sería aquel glorioso Rey de Israel de quien profetizó Balaam diciendo: "Su reino será exaltado" (Nm 24:7, 14-19)? ¡Sí, el profeta mayor que Moisés es el Mesías, Cristo el Señor!

En aquel memorable sermón justo debajo del Pórtico de Salomón, el apóstol Pedro dejó la respuesta más contundente en cuanto a Jesús como prometido Profeta-Mesías:

...*Jesús*, el Cristo designado de antemano [...] de quien Dios habló por boca de sus santos profetas desde tiempos antiguos. Moisés dijo: El Señor Dios les levantará un profeta como yo de entre sus hermanos [...] asimismo todos los profetas que han hablado desde Samuel y sus sucesores también anunciaron estos días. Ustedes son los hijos de los profetas y del pacto que Dios hizo con sus padres, al decir a Abraham: Y en tu simiente serán benditas todas las familias de la tierra. Para ustedes en primer lugar, Dios, habiendo resucitado a Su Siervo, le ha enviado para que les bendiga, *a fin de apartarlos de sus iniquidades.*

Hechos 3:20-26

Jesús vino al mundo como el supremo Profeta esperado para lograr aquello que el más grande de los profetas no pudo lograr. Vino de parte de Dios y guio al pueblo especial de Dios a ser una nación de santos adoradores. En Cristo creyeron los antiguos y fueron aprobados. Los patriarcas le juraron eterna alianza y fueron aceptados. Los padres confiaron en Él y les fue contado por justicia (Heb 11:1-6).

Notas del capítulo 5

1. Para ver una exposición más completa de los detalles exegéticos y teológicos del tema, puede referirse a https://www.academia.edu/9008405/The_Real_Story_at_Mount_Sinai_-_Oskar_Arocha_FINAL_version_June_2014. O a una presentación resumida de "La verdadera historia en el monte Sinaí": http://youtu.be/cVdLNlfSR90.

2. La conclusión exegética que muestra una diferencia entre la frase "un reino *de* sacerdotes" y "un reino *con* sacerdotes" no depende solamente de la construcción gramatical del texto, sino que también se infiere de una comparación entre el último propósito de Dios para Su pueblo descrito en las palabras esenciales del pacto (Éx 19:3-6) y aquello que realmente terminó sucediendo en Sinaí según la narrativa del pacto en Horeb.

3. Los académicos Moberly y Wells resaltan: "El resto del libro de Éxodo fluye de esta teofanía (Éx 3:12)" (R. Moberly, *Old Testament Theology: Reading the Hebrew Bible As Christian Scripture* [Grand Rapids: Baker Academic, 2013], 5-26. J. Wells, *God's Holy People: A Theme in Biblical Theology* [Sheffield: JSOT, 2000], 29).

4. La gracia divina se nota en que Dios está obrando a favor de Israel porque así lo desea y no por ningún mérito de Israel (Éx 19:4).

5. Parece irreal que Dios pidiera al pueblo que subiera al monte teniendo en cuenta las condiciones terroríficas de la manifestación de Dios sobre este, pero la solución es aclarada en Éxodo 20:20: "No teman, Dios ha venido a ponerlos a prueba". Esto significa que todo fue divinamente diseñado para que el pueblo reaccionara y el verdadero sentir de su corazón fuera revelado. Deuteronomio 8:1-19 habla con más detalle sobre las motivaciones de Dios cuando probó a Israel. Todas sus motivaciones fueron para el bien de Israel.

6. ¿Y no dice Deuteronomio 5:26-29 que el pueblo hizo bien? No, en realidad dice lo contrario. Dios dijo que ellos "hablaron bien". ¿Qué dijeron? Dijeron que no estaban aptos para acercarse a Dios y que necesitaban de un mediador. Dios también lo confirma cuando dijo: "Oh, si tan solo tuvieran un corazón para temerme y obedecerme".

7. Las palabras descritas en Deuteronomio 18 son parte de una serie de sermones que Moisés predicó al pueblo en la llanura de Moab unos 40 años después de haber salido de Egipto (Dt 1:1-8).

8. La frase "conforme a todo lo que pidieron *el día de la asamblea*" hace referencia directa aquel momento, 40 años atrás, cuando el pueblo se reunió frente al monte Sinaí y Dios les pidió que subieran, pero no subieron (Éx 19:1-17, Dt 5:5). Consecuentemente pidieron a Dios un mediador que se acercara a Dios por ellos: "Se mantuvieron a distancia y entonces dijeron a Moisés: 'Habla tú […] pero que no hable Dios con nosotros, no sea que muramos'. El pueblo se mantuvo a distancia, mientras Moisés se acercaba" (Éx 20:18-21).

9. El término *escatológico* se refiere aquí a los días entre la primera y la segunda venida de Cristo.

6

El Sacerdote
de eterna salvación

En Su encarnación, Cristo Jesús fue ordenado Sacerdote a favor de los hombres frente a Dios para presentar ofrenda y sacrificio por el pecado. Y como Sacerdote, logró una labor que fue imposible para Moisés, Aarón y todos los demás: entró a la presencia de Dios para alcanzar el perdón de pecados de Su pueblo. Desde entonces, después de haber obtenido con Su propia sangre eterna redención en el más perfecto tabernáculo (Su cuerpo), Jesús intercede hoy y siempre como nuestro eterno Sumo sacerdote. (Heb 5:1-4; 9:11-13; Éx 32:30-35).

El Sacerdote de Sinaí

Tal como con el Profeta-Mesías, la temática central del sacerdocio se desarrolló en Sinaí, pero no en el "día de la asamblea", sino cuando Moisés subió al monte y bajó con dos tablas de piedra sobre las que Dios escribió los diez mandamientos (Éx 32:15-16; 34:28). La narrativa de Éxodo 32 al 34 es clave, porque está ubicada estratégicamente entre las direcciones para instituir el tabernáculo (Éx 25 – 31) y la construcción del mismo (Éx 35 – 40). De esa forma, Moisés indica que lo narrado en Éxodo 32 al 34 describe la ocasión, contexto y propósito del tabernáculo.

¿Qué pasó allí? Cuando Moisés subió al monte, dejó al pueblo a cargo de Aarón y de los líderes ancianos (Éx 24:11-18), pero todos cometieron el terrible pecado de la idolatría (Éx 32:1-6). A causa del pecado, el Señor se propuso destruirlos a todos (Éx 32:7-10), pero Moisés intercedió ante Dios a fin de que, por amor a la gloria de Su nombre y de Sus promesas, desistiera la destrucción. El Señor aceptó (Éx 32:11-14). Luego Moisés descendió, y cuando vio al pueblo en idolatría desenfrenada, quebró las tablas de piedra y castigó al pueblo (Éx 32:15-19). A pesar del castigo, otros continuaban fuera de control (Éx 32:25). Moisés se vio obligado a pronunciar un llamado de lealtad a Dios para así detener el desenfreno. Se puso en pie a la puerta del campamento y dijo: "¡El que esté por el Señor, venga a mí!" (Éx 32:25-26). Fue sorprendente el silencio de los ancianos a este llamado[1], y solo los levitas se levantaron y respondieron al llamado matando a espada hasta que el desenfreno terminara. Más de tres mil hombres murieron. Ese día el Señor Dios los bendijo y fueron consagrados a precio de sangre[2] como sacerdotes al servicio de Dios[3] (Éx 32:27-29).

Después de cesar la idolatría, Moisés subió una vez más a Dios y oró. Intercedió pidiendo un perdón *condicionado*[4] a favor del pecado del pueblo diciendo: "Este pueblo ha cometido un gran pecado [...]perdona su pecado, pero si no, bórrame del libro" (Éx 32:31-33). El Señor rechazó la petición (Éx 32:33), les hirió con una plaga (Éx 32:34-35) y declaró a Moisés: "Anda, sube tú y el pueblo [...] y enviaré un ángel delante de ti [...] pero Yo no subiré en medio de ti, Israel, no sea que te destruya" (Éx 33:1-3). Esa fue la peor de las noticias, y el pueblo se entristeció (Éx 33:4-6). Por esa causa, Moisés subió de nuevo a la presencia de Dios e hizo intercesión por el pueblo, pidiendo al Señor que Su favor estuviese con el pueblo, así como había estado con él, y que cambiara de parecer para que Su presencia estuviera con ellos (Éx 33:12-17). En respuesta, el Señor aceptó estar en medio del pueblo por Moisés (no por el pueblo[5]) y dijo: "Tendré misericordia del que tendré misericordia, y tendré compasión del que tendré compasión" (Éx 33:19). A esto, Moisés hizo al Señor una plegaria final: "Por favor, si he hallado gracia delante de Ti, Señor, por favor Señor, ve en medio nuestro, *aunque*[6] este pueblo sea de dura cerviz; y perdona nuestro pecado" (Éx 34:9)*. A esta petición, Dios aceptó diciendo: "He aquí, Yo voy a hacer un pacto delante de todo tu pueblo" (Éx 34:10ª)**.

Por tanto, mediante la intercesión de Moisés y por la gracia divina, el Señor confirmó Su decisión de habitar en medio del pueblo dándole una vez más los diez mandamientos y estableciendo el tabernáculo como aquel medio divino para que el Santo Dios repartiera Su amor en medio de un pueblo incrédulo de dura cerviz. También Moisés testificó de la intención de Dios poniendo un velo sobre su brillante rostro para que el pueblo no fijara su vista en aquello que se habría de desvanecer (Éx 34:29-35; 2Co 3:12-13). De esa forma, lo que inicialmente pretendía ser un encuentro personal con Dios terminó siendo un encuentro mediado por un altar, un tabernáculo y un conjunto de sacerdotes (Éx 19:4-6).

Hasta un nuevo pacto prometido

La narrativa cuenta que tan pronto Dios aceptó y estableció normas para habitar en medio de un pueblo duro de corazón, Él mismo les estaba

---

* Traducido por el autor.
** Traducción propia del autor. El orden escogido de las palabras es clave para lograr una mayor claridad en el pasaje porque resalta cada pronombre en su justa medida.

mostrando a Moisés y al pueblo que el tabernáculo, el sacerdocio de la tribu de Leví y el pacto en Horeb eran temporales, eran pasajeros. El pacto, el tabernáculo, el sacerdocio levítico, los sacrificios y las ofrendas fueron instituidos de manera temporal hasta la llegada de un nuevo pacto, con un nuevo tabernáculo, un nuevo linaje sacerdotal y con un Cordero sacrificial inmolado que realmente redimiera con Su sangre para Dios un reino de sacerdotes (ver Ap 5:9-10).

Esa futura esperanza fue descrita por Moisés en sus últimos días de vida cuando habló de un pacto "*además*[7] del pacto que Él [Dios] había hecho con ellos en Horeb" (Dt 29:1-4). La diferencia distintiva sería que aún Dios no les había dado en Horeb un "corazón para entender". Un día, cuando el Señor hiciera "volver de la cautividad", "el Señor circuncidaría" el corazón para que lo amaran (Dt 30:1-6). En palabras del profeta Jeremías, que escribió de un futuro nuevo pacto, encontramos la misma relación entre lo sucedido en Sinaí y la futura promesa. El profeta habló de días venideros, después de la cautividad ("Restauraré su bienestar", Jer 31:23), de un nuevo pacto que sería "no como el pacto que hizo con sus padres", sino un pacto en que Dios se comprometía a obrar en sus "corazones" y "perdonar su maldad" (Jer 31:23-34) [8].

También el Rey David, conociendo que la perfección no vendría por medio del sacerdocio levítico, profetizó de un nuevo Sacerdote, Dios y Rey diciendo: "Dijo el Señor [Yavé] a mi Señor [Adonai]: siéntate a Mi diestra hasta que ponga a Tus enemigos por estrado de Tus pies [...] El Señor [Yavé] ha jurado y no se retractará: Tú eres sacerdote para siempre según el orden de Melquisedec" (Sal 110:1, 4)[9]. Y finalmente, años después de la muerte y resurrección de Cristo, el autor de Hebreos recordó que tal Sacerdote "vino a ser fuente de eterna salvación", que fue "fiador de un mejor pacto", que, "[como] permanece para siempre, es poderoso para salvar para siempre a los que por medio de Él se acercan a Dios, santo, inocente, inmaculado, apartado de los pecadores y exaltado más allá de los cielos" (Heb 5:5-10; 7:1-28). El Sacerdote prometido es nuestro Sumo sacerdote para siempre y Su nombre es Cristo Jesús, el Señor.

Notas del capítulo 6

1. A pesar de haber sido establecidos como la autoridad delegada, en toda la narrativa de Éxodo 32 al 34 los ancianos no son mencionados hasta el final cuando el texto dice que "tuvieron miedo" (Éx 34:30-31).

2. Desde el éxodo de Egipto la narrativa presenta una conexión entre la consagración y el concepto de *a precio de sangre*: (1) Los primogénitos que fueron consagrados en el éxodo de Egipto fueron consagrados a precio de sangre (Nm 3:12-13). (2) El sacerdocio de Finees fue consagrado a precio de sangre (Nm 25:10-13). (3) Los levitas señalados en nuestro pasaje también lo fueron (Éx 32:27-29).

3. A pesar de la diversidad de traducciones de Éxodo 32:29, hay varias razones concretas para concluir que se refiere a la consagración de los levitas: (1) La traducción literal es: "Y dijo Moisés: Hoy, sus manos han sido llenadas (han sido consagrados) para el Señor, pues cada uno estuvo contra su hijo y contra su hermano, a fin de que hoy mismo sobre ustedes sea la bendición" (Éx 32:29). (2) La conexión entre el acto de fe y la "bendición" es que fueron consagrados. (3) El contexto de Éxodo 32 al 34 es el establecimiento del tabernáculo y el sacerdocio. (4) Los levitas fueron otorgados como regalo a Aarón (Nm 8:9), y fue aquí, en el momento más débil de Aarón, que los levitas probaron serle de ayuda. (5) El precio de sangre está íntimamente relacionado con la consagración en la narrativa (ver Nm 3:12-13 y Éx 13:1-2). (6) No hay otro pasaje que indique una justificación para la consagración de los sacerdotes.

4. El significado condicional propuesto tiene mayor sentido en el contexto, porque dentro del contexto de Éxodo 32 al 34 hay 3 oraciones intercesoras (Éx 32:11-14; 32:30-35; 33:12 – 34:10[a]), dos fueron recibidas positivamente (Éx 32:11-14; 33:12 – 34:10[a]) y una fue rechazada (Éx 32:30-35). Aquellas que fueron aceptadas estuvieron fundamentadas en la gloria y soberanía del nombre de Dios, en cambio la que fue condicional pretendía coaccionar a Dios y fue rechazada.

5. Es interesante resaltar el pronombre singular en segunda persona (tú) usado repetidas veces en Éxodo 33:17 que evidencia de manera particular el favor de Dios hacia Moisés, a pesar que Moisés había pedido repetidas veces la gracia

divina a favor del pueblo (Éx 33:12-23). "El Señor dijo: También haré esto que tú [segunda persona singular] has hablado, por cuanto tú [segunda persona singular] has hallado gracia ante Mis ojos y te [segunda persona singular] he conocido por tu [segunda persona singular] nombre"".

6. La palabra concesiva *aunque* sigue la traducción de LBLA y NASB, y otras traducciones tales como RV60, ESV y KJV usan la palabra causal "porque". La palabra hebrea usada aquí es כִּי (*kîy*) comúnmente traducida "porque" (causal) y otras veces "aunque" (concesiva). En este caso particular (Éx 34:9), si es concesiva, enfatiza el deseo de Moisés, de que no se deje fuera al pueblo sin la gracia divina, y resalta la soberana voluntad de Dios en elegir. Si es causal, entonces Moisés está reconociendo que la única esperanza posible de que el pueblo participe en la gracia divina es que la presencia de Dios esté con ellos, y resalta la inhabilidad del pueblo (dura cerviz). En ese sentido, ambas consideraciones (concesiva y causal) aplican dentro del contexto, pero la elección soberana (concesiva) es preferida sobre la inhabilidad del pueblo (causal), porque la inhabilidad fue expresada en la petición anterior (Éx 33:16) y esta última petición es una reacción directa a la última respuesta divina donde Dios dijo: "Tendré misericordia de quien tendré misericordia" (Éx 33:18).

7. La palabra hebrea usada con su prefijo es מִלְּבַד (*milbad*) y define precisamente un pacto "en adición a" (NIV), "además de" (RV60, LBLA, NVI), "distinto a" (ESV).

8. Esta temática que se inició en el pentateuco es repetida a menudo. Por ejemplo en los profetas (Is 6:9-10; 29:3-5, 10; 53:1; Jer 5:21; Ez 12:2), por Jesús (Mt 13:14; Jn 9:39-41) y por el apóstol Pablo (Ro 11:5; Ef 4:18).

9. Podemos concluir que David estuvo informado a la luz de la evidencia escritural que tenía: (1) que para el perdón se necesitaba una intercesión sacerdotal, (2) que el antiguo pacto y el sacerdocio levítico eran temporales, (3) que siendo Abraham el modelo de fe y receptor del pacto eterno su ofrenda fue recibida por un sacerdote que no era de la ley ni de la tribu de Leví (ver también Hebreos 7:1-28) y (4) que el Mesías no era de la tribu de Leví, sino de la de Judá.

7

El Siervo sufriente exaltado

Isaías 52:13 al 53:12 contiene el cuarto[1] y último poema[2] del Siervo, comúnmente conocido como "El Siervo Sufriente". El mensaje central del poema revela una divina intención de lograr la gran exaltación del Siervo de Dios (Is 52:13; 53:10-12), a través de Su profunda y sufriente muerte expiatoria a favor de nuestros pecados (Is 53:4-9), como la cúspide de la final liberación del pueblo de Dios, cuando "todos los confines de la tierra vean la salvación del Dios nuestro" (Is 52:10 RV60).

En el contexto previo, el Señor exhortó a Su pueblo sufriente a que levantara su semblante caído porque la redención estaba cerca (Is 52:1-6), porque cercano estaba aquel día en que el mensajero anunciaría la victoria de su Rey, y los centinelas verían al Señor llegando a Sion para restaurar, consolar y establecer Su Reino (Is 52:7-12). Es un mensaje de exuberante gozo por el triunfante retorno conocido como el "Nuevo Éxodo", dada su similitud a cuando Israel "descendió a Egipto" (Is 52:4) y desde allí fue salvado.[3] De esta manera, la profecía une bajo un mismo suceso la redención y la exaltación del Rey, porque el pueblo bajo opresión de las tinieblas sería redimido cuando Dios llegara a Sion, obtuviera la victoria y fuera exaltado y coronado Rey. Entonces, en aquel momento de gloria, Su pueblo redimido proclamaría: "¡Tu Dios reina!" (Is 52:7).

Mi Siervo

En ese contexto de opresión, redención y coronación se desarrolla el poema del Siervo dividido en cinco estrofas con tres versículos para cada estrofa[4] (Is 52:13 – 53:12). El poema identifica al Siervo con el pronombre "Él", pero ¿quién es Él? En el libro de Isaías podemos encontrar la frase "Mi siervo" con referencia al profeta Isaías (Is 20:3), o al rey David (Is 37:35) o al pueblo de Israel (Is 44:21). Sin embargo, podemos estar seguros que en Isaías 52 – 53 aquel llamado "Mi Siervo" no es ninguno de estos, porque[5]:

1. Según Isaías 53:9, el Siervo sufre y muere aunque "nunca hizo maldad ni hubo engaño en Su boca", pero repetidas veces Israel[6] (Is 40:2; 42:18-25), David (2Sa 12:13; Sal 51:1-6) e Isaías (Is 6:6-7) son considerados pecadores a causa de sus transgresiones.

2. Aunque fuera de los poemas del Siervo hay referencias explícitas que conectan al Siervo con Israel, los poemas se distinguen precisamente por el hecho de que dentro de ellos el "Siervo" es presentado como un individuo[7].

3. En todo el libro de Isaías cuando los pronombres "nos", "nuestro" o "nosotros" son introducidos de manera abrupta (Is 53:1), siempre es el profeta hablando de parte del pueblo de Israel con quien se identifica[8].

¿Quién es el Siervo? Es Aquel que será "enaltecido, levantado y en gran manera exaltado" (Is 52:13), y tanta será Su gloria que "asombrará a muchas naciones y los reyes cerrarán la boca[9]" (Is 52:15). Pero primero Él debe sufrir en gran manera, pues antes de Su gran gloria, "Su apariencia será desfigurada[10]" (Is 52:14; ver Lc 24:26; Hch 3:18).

Varón de dolores

El capítulo 53 comienza con dos preguntas: "¿Quién ha creído a nuestro anuncio?" y "¿A quién se ha revelado el brazo del Señor?". De la primera pregunta se infiere que los acontecimientos antes descritos serían inesperados, y tal como había sido profetizado, muchos en incredulidad lo descartarían[11]. Pero de la segunda pregunta se infiere que a otros se les revelará la verdad y creerán[12].

El camino del Siervo fue inesperado y más aun ante el contraste de la gran gloria prometida y ante la realidad del profundo sufrimiento. El profeta lo describe como un Renuevo tierno en tierra seca, de aspecto inatractivo, insignificante y sobre todo indigno de poner sobre Él nuestra esperanza (Is 53:2). En ese momento de humillación no vimos en Él un Salvador y mucho menos un Rey exaltado porque Él cargaba toda aflicción, vergüenza y pena sobre Sus hombros. Tanta fue Su carga que, así como quien tiene delante un cuerpo descuartizado y sangriento voltea su rostro por el horror, así lo despreciamos y le llamamos "Varón de dolores".

Tan extensa fue Su carga por nuestros pecados que ciertamente aparentaba que le pertenecían. Tan fuerte abrazó sobre Sí mismo nuestras penas que por un momento era indistinguible saber que la corrupción que cargaba no era Suya[13], y le consideramos como "azotado, herido de Dios" (Is 53:4), pero estábamos equivocados. No fue por Sus pecados, sino por los nuestros. El verso 5 lo repite cuatro veces[14]:

» Herido por *nuestras* transgresiones.

» Molido por *nuestras* iniquidades.

» El castigo por *nuestra* paz fue sobre él.

» Por sus heridas *hemos* sido sanados.

El lenguaje usado no permite una mejor manera para describir un sacrificio expiatorio de sustitución. Tenemos la más explícita presentación de sustitución penal expiatoria en todo el AT y quizás en toda la Escritura: Él tomó nuestro lugar y por causa de nuestros pecados fue castigado; como resultado tenemos eterna paz y salvación. Nosotros pecamos, pero no fuimos heridos, sino Él. Él sufrió nuestro dolor. Nosotros le dimos la espalda a Dios y como ovejas nos descarriamos, pero para nuestro asombro el Señor tomó todas nuestras iniquidades y las cargó sobre Él.

Ciertamente Él fue oprimido y afligido, pero "no abrió Su boca"[15] (Is 53:7). No se defendió, ni le huyó al dolor. Su asombrosa conducta es comparada a un cordero en silencio que es llevado al matadero. Es una metáfora que dice que el Siervo de Dios es el excelso "Cordero de Dios que quita el pecado del mundo" (Jn 1:29).

Como parte de Su opresión, fue juzgado injustamente y condenado por una generación indiferente a la realidad de que fue castigado hasta la muerte en sustitución por "la rebelión de Su pueblo" (Is 53:8 RV60). No entendieron, no les importó, y considerándole criminal, hasta dispusieron darle sepultura de hombre malvado que según las costumbres era en una fosa común. Pero no sucedió así, sino que fue sepultado como un rico[16]. Ese pequeño detalle es relevante porque[17] este Siervo "no hizo ningún mal" (Is 53:9) y fue inocente ante Dios de todos los cargos en Su contra. En otras palabras, como evidencia del favor divino, Dios intervino en contra de las intenciones humanas. Declaró histórica y universalmente la inocencia del Siervo, asegurandose de que su sepultura no fuera como la de un criminal, sino como la de un hombre rico[18].

¡Victoria final!

Detrás del Cordero inmolado estaba la voluntad de Dios, porque dice la Escritura: *"quiso* el Señor quebrantarle" (Is 53:10, ver Is 46:10). Es evidente la premeditada intención detrás de los hechos, pero el quebrantamiento no es la meta, sino tan solo el medio. Porque por medio de la expiación Dios planificó 1) prosperar al Siervo con muchos hijos, riquezas y un triunfo victorioso; 2) dar eterna satisfacción al Siervo cuando viera al final la sonrisa de Dios; y 3) justificar a muchos y cargar con sus iniquidades (Is 53:11).

¡Cuán poderosa sustitución expiatoria! Por medio de cargar sobre Sí nuestro pecado y castigo, Dios le ha exaltado como Rey supremo y ha provisto para nosotros eterna salvación gloriosa en Él.

Notas del capítulo 7

1. Los primeros tres poemas son: (1) Isaías 42:1-4, (2) Isaías 49:1-6 e (3) Isaías 50:4-9. Estos poemas son reconocidos por aportar importante significado al mensaje del profeta y porque su contenido se centra en un personaje llamado "el siervo".

2. Algunos prefieren referirse al pasaje (Isaías 52:13 – 53:15) como un "poema" en vez de como una "canción" porque ayuda a valorar su estructura y contexto literario (Geoffrey Grogan, *Isaiah*, EBC, vol. 6, ed. Frank Gaebelein [Grand Rapids: Zondervan, 1986], 301).

3. La frase "verán la salvación del Dios nuestro" (*Yeshua Eloheinu* - יְשׁוּעַת אֱלֹהֵינוּ), tiene mucha similitud con las palabras de Moisés frente al mar rojo: "Vean la salvación de Yavé" (*Yeshúa Yahweh* -יְהוֹה יְשׁוּעַת אֶת־וּרְאוּ) (Éx 14:13 RV60).

4. El poema tiene una estructura conocida como *quiasmo* (A-B-C-B-A) porque el contenido del primer párrafo está conectado con el del quinto, el del segundo

con el del cuarto, y el del tercero queda solo. Esta estructura es reconocida por académicos tales como Kidner, Motyer, Hugenberger y Grogan, entre otros.

5. Para más detalles consúltese el artículo académico de Gordon Hugenberger, "The Servant of the Lord in the 'Servant Songs' of Isaiah: A Second Moses Figure", encontrado en la publicación *The Lord's Anointed: Interpretation of Old Testament Messianic Texts*, ed. Satterthwaite, Hess y Wenham (Grand Rapids: Baker Books, 1995). La investigación de Hugenberger coincide con la de Delitzsch (F. Delitzsch, *Isaiah*, vol. 2, Edinburgh: T. & T. Clark, 1873 [reimpreso en un solo volúmen, Grand Rapids: Eerdmans, 1982], 310).

6. Otros pasajes dentro de Isaías que indican las transgresiones de Israel son 43:22-28; 47:7; 48:18ss; 50:1; 54:7; 57:17; 59:2ss. El concepto incluye también al remanente de Israel (Is 43:22; 46:3, 12; 48:1, 8; 53:6, 8; 55:7; 58:1ss.; 63:17; 64:5-7).

7. La investigación de Hugenberger coincide, entre otras, con la de Duhm (B. Duhm, *Das Buch Jesaja übersetzt und erklärt* , 4ta ed., [Göttingen: Vandenhoeck und Ruprecht, 1922], 311).

8. Isaías 1:9ss.; 16:6; 24:26; 33:2, 20; 42:24; 59:9-12; 63:15-19; 64:3-11.

9. Grogan comenta que el lenguaje usado por el profeta describe una futura y suprema exaltación sobre todas las cosas (Geoffrey Grogan, *Isaiah*, EBC, vol. 6, ed. Frank Gaebelein [Grand Rapids: Zondervan, 1986], 301).

10. Hay un paralelo entre Israel y el Siervo, pues el profeta señala que así también fue con Israel (LBLA agrega la frase "mi pueblo" para definir que el pronombre se refiere a Israel). Y así como fue de gran "asombro" que Israel, el pueblo escogido de Dios, fuera oprimido por Egipto por 400 años, ese mismo Israel luego fue redimido con mano poderosa (Is 52:14; ver Is 52:1-6).

11. Para más apoyo véase también Isaías 29:10, y compárese con Isaías 6:9-10, Deuteronomio 29:2-4 y Romanos 10:16-17; 11:8-10. Estos textos muestran una temática recurrente de la incredulidad de Israel como pueblo. Sin embargo, siempre queda un remanente.

12. Me parece apropiado asumir que estos que creerán también son aquellos (1) que proclamarán: "Dios reina" (Is 52:7), (2) que serán consolados y rescatados (Is 52:8) y (3) que serán considerados como "Su linaje" (Is 53:10). Esta también parece ser la conclusión del apóstol Pablo en Romanos 10:9-17: "Sin embargo, no todos hicieron caso al evangelio, porque Isaías dice: Señor, ¿quién ha creído a nuestro anuncio?".

13. El texto usa dos preposiciones en el verso 5: "sobre" (*lit.* "sobre Él") y "con" (*lit.* "en" o "con") para mostrar una figura completa del castigo del Siervo. Fue sobre Él y con Él en sus heridas.

14. El pronombre hebreo נו (*nu*), traducido "nuestros", está ligado tres veces a sustantivos y una vez a la preposición hebrea לְ (*le*), traducida "por".

15. La frase "no abrió su boca" (לֹא יִפְתַּח פִּיו) es repetida dos veces indicando tal actitud como central a la voluntad sumisa del Siervo a favor de otros.

16. La frase que aparece traduce literalmente "con el rico fue Su muerte", que indica que fue sepultado de manera honrosa, tal como culturalmente acostumbraban hacer con los ricos (Edward J. Young, *The Book of Isaiah*, vol. 3. [Grand Rapids: Eerdmans, 1972], 352-353).

17. En el verso 9ᶜ la traducción de **LBLA** dice: "Aunque no había hecho violencia", y también la RV60 y NVI usan la palabra "aunque" (concesivo). Sin embargo, la preposición hebrea עַל comúnmente es traducida como "porque" (causal), a menos que el contexto indique lo contrario (ver uso #10 Strong's H5920 del léxico hebreo BDB). Propongo un uso causal basado en el contexto.

18. Todos los evangelistas testificaron de esto (Mt 27:57-60; Mr 15:42-46; Lc 23:50-54; Jn 19:38-41).

8

La esencia
de la cruz

Dijo el apóstol Pablo: "Jamás acontezca que yo me gloríe, sino en la cruz de Jesucristo" (Gá 6:14), porque la cruz es la vida y el gozo del cristiano. No hay ira tan profunda que la cruz de Cristo no apacigüe, ni transgresión tan grave que no quite, ni sufrimiento tan profundo que no pacifique, ni mancha tan sucia que no limpie. No hay pecado que no borre, ni deuda tan grande que no pague. ¡Oh, excelsa cruz de Cristo!

En la cruz fue la muerte expiatoria de nuestro Señor Jesucristo, pero ¿cuál es la esencia de la cruz? La esencia es que Cristo murió haciendo expiación penal en sustitución por nosotros. Dios, en Su Palabra, presenta esta esencia en tres elementos imprescindibles, mostrando que la muerte expiatoria de Cristo fue una muerte *sustitutoria*, *penal* y *satisfactoria*.

Sustitutoria

La sustitución señala un glorioso intercambio: Cristo tomó nuestro lugar. Nos tocaba ser humillados y avergonzados como Él lo fue, recibir el castigo que Él recibió y sufrir lo que Él sufrió. Él murió la muerte que nos tocaba morir. Aquí coinciden todos los pasajes que hablan de este tema.

El apóstol Pablo escribió a los hermanos en Corinto: "Al Que no conoció pecado, *por* nosotros lo hizo pecado" (2Co 5:21). También dijo a los de Galacia: "Cristo nos redimió […] haciéndose maldición *por* nosotros" (Gá 3:13). El autor de Hebreos escribió: "Para que Jesús […] gustase la muerte *por* todos." (Heb 2:9). El apóstol Juan en su carta dijo que Jesús "es la propiciación *por* nuestros pecados" (1Jn 2:2). Jesús dijo de Sí mismo: "el Hijo del hombre vino […] para dar Su vida en rescate *por* muchos" (Mr 10:45; Mt 20:28). El apóstol Pedro escribió que "Cristo padeció por nosotros […] Él mismo llevó nuestros pecados […] por Su herida hemos sido sanados […] padeció por los pecados, el Justo *por* los injustos" (1P 2:21-24; 3:18); en su comentario a la epístola de Pedro, el doctor Thomas Schreiner dice: "La frase 'Cristo padeció por nosotros' se refiere al sacrificio vicario [sustitutorio] de Cristo, enfatizando que la idea es explícitamente expresada en el verso 24 y luego en el verso 18 del próximo capítulo[1]".

La evidencia de la sustitución es extensa y además está fundamentada por la gramática misma de las conjunciones usadas. En todos estos pasajes antes citados encontramos una de estas dos palabras griegas: ὑπέρ (jypér) o ἀντί (antí). La gramática y el contexto de cada uno de estos pasajes definen estas conjunciones, que han sido traducidas como "por"[2], a ser entendidas como "en lugar de", "en favor de" o "en vez de"[3]. Así que en estos pasajes vemos la descripción explícita de que la muerte de Cristo fue, en esencia, sustitutoria, es decir, en lugar de aquellos por quienes murió.

Penal

El elemento penal de la muerte de Cristo significa que Su muerte fue aquel castigo prescrito como pena a todo aquel que se rebela en contra de Dios y viola Su ley[4]. Y cabe señalar que el problema del hombre con Dios no mejora con un cambio de conducta. Tampoco pudiéramos asumir que la vida de Cristo fue tan solo un gran ejemplo a seguir y que desafortunadamente terminó en las manos sangrientas del Imperio Romano. Su muerte no fue una corrección, ni una calamidad, ni una disciplina, sino un castigo penal.

¿Por qué castigar? Porque Dios ha atado la gloria de Su nombre a Su justicia y Su justicia demanda que toda maldad sea pagada. Él ha declarado y no se retractará: "Yo pagaré" (Dt 32:35; Ro 14:19). La muerte es el castigo que merece el pecado. La justicia de Dios demanda castigo y el castigo es la muerte. La Palabra dice: "El día que de él comas, ciertamente morirás" (Gn 2:17), "el alma que pecare morirá" (Ez 18:20), "la paga del pecado es muerte" (Ro 6:23), "cualquiera que maldijere a su Dios llevará su iniquidad […] ha de ser muerto" (Lv 24:15-16), "maldito todo el que no permanece en todas las cosas escritas en el libro de la ley, para hacerlas" (Gá 3:10).

Por tanto, sabemos que solo hay dos opciones: o paga el pecador, o paga Cristo, y si paga Cristo somos "hechos justicia de Dios en Él" (2Co 5:21), porque en Él fue anulado "el acta de los decretos que había contra nosotros […] clavándola en la cruz" (Col 2:14).

Satisfactoria

El elemento de satisfacción es nuestra garantía de que no hay manera que se pague dos veces por un mismo pecado. Cuando Cristo murió por los pecados, todos los pecados fueron pagados y la justicia de Dios fue satisfecha. Dios quedó satisfecho por completo, porque una compensación completa fue realizada. Así lo expresa el autor de Hebreos:

Y así como está decretado que los hombres mueran una sola vez, y después de esto, el juicio, así también Cristo, habiendo sido ofrecido una vez para llevar los pecados de muchos…

Hebreos 9:27-28

El pasaje muestra que, en ambos casos, el nuestro y el de Cristo, hay un aspecto finito: Los hombres "mueren una sola vez"[5]. El caso del hombre es grave porque sus oportunidades para prepararse para el juicio terminan cuando muere, pero, entonces, Cristo es introducido para llevar los pecados. En medio de la explicación, el autor vuelve e inserta la misma extraordinaria frase "una sola vez"[6], a fin de que no quede duda de que la obra de Cristo en la cruz logró satisfacer el juicio de Dios.

El apóstol Juan resalta la misma garantía en su evangelio. Cuando llegó el momento de Jesús terminar Su obra y lograr la redención y la salvación para los suyos, Jesús dijo: "Consumado es" (Jn 19:30). Con esas últimas palabras Jesús selló la obra que finalizó el castigo, y la justicia de Dios quedó satisfecha.

Por tanto, podemos estar seguros de que "tenemos paz para con Dios" (Ro 5:1), que habiendo Dios entregado a Su Hijo por nosotros, sabemos también que "nos concederá con Él todas las cosas" (Ro 8:32) y que nada ni nadie "nos podrá separar del amor de Dios que es en Cristo Jesús Señor nuestro" (Ro 8:37-39).

Una mesa de tres patas

Como se dijo al principio, la esencia de la cruz contiene estos tres elementos imprescindibles, mostrando que la muerte expiatoria de Cristo fue una muerte 1) Sustitutoria, 2) Penal y 3) Satisfactoria. Esta unidad inseparable la podemos ilustrar con una mesa de tres patas. Si le quitas una de las patas a la mesa, la mesa se cae. De igual manera, si solo suspendemos uno de los elementos, hemos perdido la esencia de la cruz.

Si no es penal, entonces Dios no es santo y Cristo murió en vano. Si no satisfizo a Dios, entonces Jesús no tiene poder y aún estamos en nuestros pecados. Si no es en sustitución por los pecadores, entonces Dios no es Justo porque castigó a Jesús, el inocente y sin pecado.

La esencia de la cruz es completamente gloriosa y nos invita a unirnos a las hermosas palabras de los creyentes del segundo siglo:

¡Oh, la excelencia, la gentileza y el amor de Dios! ¡Oh, dulce intercambio! ¡Oh, inescrutable creación! ¡Oh, los inesperados beneficios: que la maldad de muchos sea llevada sobre el Justo, y la justicia de Uno sea para la justicia de muchos impíos![7]

Gracias damos al Padre que derramó toda su ira por nuestros pecados sobre Jesús. Y gracias a Jesús que puso su vida en sustitución por la nuestra. Por eso sabemos que Dios quedó satisfecho y ya "no hay condenación para los que están en Cristo Jesús" (Ro 8:1).

Notas del capítulo 8

1. Thomas Schreiner, *1, 2 Peter and Jude*, NAC, vol. 37, ed. E. Ray Clendenen (Nashville: Broadman & Holman Publishers, 2003), 142.

2. En los textos más arriba la palabra "por" está señalada en cursiva.

3. Thayer's Greek Lexicon, entradas G5228 y G473.

4. El uso de "ley" no se reduce a los diez mandamientos o a la ley de Moisés, sino a todos los mandamientos de Dios incluyendo aquellos primeros mandatos en Edén.

5. Leon Morris, *Hebrews*, EBC, vol. 12, ed. Frank E. Gaebelein (Grand Rapids: Zondervan, 1981), 92-93.

6. Las tres palabras en español traducen la palabra griega ἅπαξ (*hápax* – Thayer's Greek Lexicon, entrada G530) y es usada ocho veces en Hebreos (Heb 6:4; 9:7,

26, 27, 28; 10:2; 12:26, 27). Cada vez la intención es definir que el hecho no se repetirá más. En ese sentido, podemos determinar que en Hebreos 9:27-28 la palabra griega debe ser entendida como "una sola vez y no más".

7. Ben Pugh, *Atonement Theories: A Way through the Maze,* citando la epístola anónima a Diogeneto, teólogo del siglo II d.C. (Eugene: Wipf and Stock Publishers, 2014), 129.

9

La propiciación: el resultado de la cruz, I

Propiciar es pacificar la ira del ofendido. Cuando Cristo murió en la cruz absorbió toda la ira de Dios, y resuelto el problema de la ira tenemos paz con Dios. El punto neurálgico es la ira de Dios, porque la ira se interpone entre Dios y nosotros al punto que, si no es propiciada, ni siquiera podría iniciarse una relación entre Dios y el pecador. Pero, por medio de Cristo, "a quien Dios puso como propiciación" (Ro 3:25), Dios es justo justificando al impío que cree, y "habiendo sido justificados [...] tenemos paz para con Dios[1]" (Ro 5:1).

La ira de Dios no es un enojo arbitrario, pasión salvaje o temperamento descontrolado tal como la de los dioses de las otras naciones[2], sino que Dios se enoja porque ama[3]. La ira de Dios es una constante oposición contra toda injusticia y contra toda rebeldía (Ro 1:18)[4] por Su santa determinación de justamente castigar toda maldad (Ro 2:6-9)[5]. La ira de Dios es Su santa voluntad establecida que reacciona contra todo lo que le deshonra. Es la manifestación del disgusto de Dios porque han ofendido Su grandeza inescrutable[6] y, cuando se manifiesta, su resultado es juicio, condenación y muerte. Esa ira fue la que Cristo absorbió en la cruz cuando vino a ser nuestra propiciación.

En el Antiguo y en el Nuevo

La Escritura testifica de la ira de Dios tanto en el AT como en el NT, pero, más importante aún, ambos proclaman la propiciación. El NT siempre presenta la propiciación en un contexto de principios y argumentos que resaltan la ira, el amor y la obra redentora de Cristo. El AT, por otro lado, ilustra la propiciación. Por ejemplo, Números 16:41-50 describe a Dios airado y diciendo: "¡Apártense [...] los consumiré en un momento![7]" ¿Por qué tanta ira? Fue a causa del pecado del pueblo que "murmuró[8]" con un corazón mal agradecido. Pero, en medio de la inaplazable destrucción, la ira de Dios fue propiciada por medio de los instrumentos del altar que Dios mismo les había concedido. Ese día "se hizo expiación[9] por el pueblo" cuando la ira de Dios fue pacificada.

La propiciación también fue ilustrada en las ceremonias y los instrumentos del tabernáculo. Por ejemplo, la ley habla del "propiciatorio" (Éx 25:17-22; Lev. 16:1-3, 13-15)[10], una lámina fina de oro que cubría el Arca del pacto y que funcionaba como un símbolo[11] pacificador entre el Santo Dios y el pueblo pecador, para allí Dios habitar en medio del pueblo y darle instrucciones.

La necesidad de propiciar

El NT tiene cuatro pasajes que describen la propiciación (Ro 3:24-25; Heb 2:16-17; 1Jn 2:2; 4:10). Sin embargo, Romanos 3:24-26 es el más importante y es el que más desarrolla el significado de este concepto. "Es considerado el texto crucial a estudiar. Pablo le ha dedicado pesada artillería para demostrar la ira de Dios y el juicio contra el pecador"[12]. El texto dice:

> …la redención que es en Cristo Jesús, a quien Dios exhibió públicamente como *propiciación* por Su sangre a través de la fe, como demostración de Su justicia, porque en Su tolerancia, Dios pasó por alto los pecados cometidos anteriormente, para demostrar en este tiempo Su justicia, a fin de que Él sea justo y sea el que justifica al que tiene fe en Jesús.

El contexto señala que todos somos igual de pecadores condenados, pero que por medio de la redención Dios gratuitamente justifica en Cristo, a quien exhibió públicamente como propiciación. El resto del pasaje explica el propósito (¿para qué?) y la razón (¿por qué?).

¿Cuál fue el Propósito? Fue "para demostrar su justicia". Es en el acto de la propiciación que Dios combina su naturaleza, "Dios justo", junto con su carácter, "Dios misericordioso", y justifica al impío. En otras palabras, ya que Dios es justo, condena y castiga el pecado y abomina cualquier concepto que declare "justo" al pecador (ver Pro 17:15); y ya que es misericordioso, perdona a aquel que únicamente merece condenación y castigo. ¿Qué hace Dios para armonizar estas verdades?[13] Satisface Su justicia en la propiciación por medio de la sangre de Cristo, es decir, justifica al impío creyente (Ro 4:3-8) y logra Su intención, de que "Él sea justo y sea el que justifica al que tiene fe en Jesús" (Ro 3:26).

¿Cuál fue la razón? Fue "por causa de haber pasado por alto los pecados pasados". ¿Qué necesidad había de que Dios manifestara su justicia de tal manera? ¿Que necesidad había de hacer una exhibición pública? La idea es que algo que define a Dios estaba en juego: Su justicia. Dado que Dios anteriormente pasó por alto y perdonó a muchos que creyeron, la historia parecía presentar a Dios como uno que aceptó el pecado, y que sin juicio absolvió al impío. Por ejemplo, ¿qué derecho tenía Dios de perdonar a Abraham si Abraham era un impío (Gn 15:6-7; Neh 9:7; Ro 4:1-4)? ¿Con qué derecho el Profeta Natán dijo al adúltero y asesino David: "El Señor ha quitado tu pecado; no morirás" (2Sa 12:13; Sal 51:1-6; Ro 4:4-8)?

Por esa causa fue necesaria una propiciación pública. La redención pública como propiciación por medio de la sangre de Cristo fue prueba y firme demostración de que todo castigo merecido a causa de los pecados fue tratado en base a todas las demandas de la santidad de Dios. Toda la ira producida por el pecado de Abraham, David y todo el que murió juntamente con Cristo descansó sobre el Calvario y Dios quedó satisfecho.

La propiciación redefine la justicia porque para el hombre la justicia termina cuando es alcanzada la conformidad con la ley y, en tal caso, lo justo sería que todos reciban inmediata y eterna condenación. Pero la cruz muestra una justicia superior, porque por medio de la cruz Dios revela que lo "justo" es que Él sea libre para condenar (Ro 3:1-8)[14] o para salvar gratuitamente (Ro 3:21-24) al pecador[15]. Sabemos que esta es Su suprema meta porque fue logrado al mayor costo posible: la vida de Su único Hijo, Jesús.

Los hechos de la propiciación muestran lo teocéntrica que es la salvación de los pecadores. Sin Dios tener más juez que el amor por Su propia gloria, derramó sobre la cruz toda la merecida ira divina hasta una completa satisfacción. Como resultado de eso, nosotros somos beneficiados; ya ninguna ira hay para todo aquel que murió juntamente con Cristo. En todo esto, Dios es justo cuando justifica al impío, y nosotros somos bendecidos.

Notas del capítulo 9

1. La idea central expresada en Romanos 5:1 resalta la paz con Dios que "tenemos" no como un posible resultado de la cruz, sino como un resultado garantizado y fundamentado sobre ella. Cuando el autor inicia Romanos 5:1 usando el verbo griego en gerundio δικαιωθέντες (*dikaiothéntes,* entrada G1344), traducido correctamente por LBLA como "habiendo sido justificados", conecta su argumento con todo lo que ha demostrado hasta ese punto (Romanos 1 – 4) y cede la idea central al verbo: "tenemos" (ἔχομεν – *échomen,* entrada G2192).

2. El texto bíblico (tanto el AT como el NT) insiste en una diferencia esencial, una distinción cualitativa entre la ira y venganza de los dioses politeístas y la ira del vivo, santo y revelado Dios de la creación. El Dios creador trae redención y juicio (Carl Henry, *God, Revelation and Authority: God Who Stands And Stays,* vol. 6 [Wheaton: Crossway, 1999], 330).

3. El concepto bíblico del amor divino no existe sin el concepto de la ira divina. La ira de Dios es templada por Su gracia y es congruente con la naturaleza revelada de Dios en las Escrituras (Timothy Pierce, *Enthroned On Our Praise: An Old Testament Theology of Worship,* NAC Studies in Bible Theology [Nashville: B & H Publishing Group, 2008], 131-141).

4. Véase también Salmos 7:11; 5:5; Jeremías 30:23, Habacuc 1:13, Juan 3:36, Romanos 2:8 y Apocalipsis 19:15.

5. Véase también Deuteronomio 32:35, 43, Nahum 1:2, Romanos 12:17-22 y Ezequiel 8:18.

6. Walter Eichrodt, *Theology of the Old Testament,* vol. 1, trad. de J. A. Baker (Philadelphia: Westminster Press, 1961), 261.

7. Otros ejemplos: Jacob propició la ira de Esaú con regalos (Gn 32:19-20). La ira del rey fue aplacada cuando Amán fue colgado (Est 7:10).

8. Quizás el pecado de murmurar parece algo inofensivo, pero debemos considerar que expresa de parte del pueblo una indiferencia monstruosa. Hace no más de veinticuatro horas Dios condenó a Coré con una revelación de juicio divino "enteramente nueva": "La tierra abrió su boca y se los tragó" (Nm 16:30-32). A pesar de eso fueron desagradecidos y, considerándose santos, culpaban a Moisés, a Aarón y, por lo tanto, a Dios por la muerte de Coré.

9. La traducción griega del AT conocida como la Septuaginta [LXX] comúnmente usaba la palabra griega ἱλαστήριον (*hilastérion*) que significa "propiciación" en estos pasajes donde encontramos la palabra "expiación". En los últimos años se ha debatido si la traducción correcta debe ser "expiación" en vez de "propiciación". Sin embargo, el académico Douglas Judisch argumenta que la única razón para

no considerar el asunto con relación a la ira (propiciación) es el prejuicio liberal que busca sus evidencias primarias en la cultura cúltica del antiguo Oriente Medio. Recientes estudios enfocados en el análisis de los pasajes bíblicos originales revelan que la idea de "pacificar" (propiciar) es el entendimiento más claro de la palabra (Douglas Judisch, "Propititation", 221-243. En Timothy Pierce, *Enthroned On Our Praise: An Old Testament Theology of Worship*, NAC Studies in Bible Theology [Nashville: B & H Publishing Group, 2008], 78-80).

10. Otros ejemplos son Levítico 10:6; Números 18:5. Sobre los sacrificios: Levítico 1:4; 4:20-35; 5:13-18.

11. Los teólogos también le llaman "tipo" porque viene de la palabra griega τυπός (*typós*, entrada G5179), y a aquello a lo que señalaba o simbolizaba le llaman "antitipo". Los *tipos* no solo pertenece al AT. En el NT encontramos que la Santa Cena es un tipo, y el antitipo es una futura cena con el Padre: "No beberé más de este fruto de la vid, hasta aquel día cuando lo beba nuevo con ustedes en el reino de Mi Padre" (Mt 26:25-29).

12. Leon Morris, *The Apostolic Preaching of the Cross* (Grand Rapids: Eerdmans Publishing Co., 1955), 199-201.

13. Hay tres preguntas importantes que responde Romanos: (1) ¿Cómo se justifica que Dios condene? Romanos 3:4-18 responde: Dios es fiel y todo hombre es pecador. (2) ¿Cómo el Dios todopoderoso y de toda misericordia (amor) mantiene su justicia en perdonar al injusto que no lo merece? Romanos 3:25-26 responde: Cuando da a Cristo como propiciación. (3) ¿Cómo se justifica que ese mismo Dios justifique a unos y a otros condene? Romanos 9:1-29 responde: Además de Dios tener todo poder, toda misericordia y toda justicia, también tiene toda soberanía y todo conocimiento; y si resistimos a Dios con soberbia, nunca entenderemos la respuesta (Ro 9:19-23).

14. La idea central de Romanos 3:1-8 es que, en Su justicia, es justo que Dios condene a los infieles.

15. Ese concepto de la justicia de Dios, de que Dios es justo cuando libremente condena o perdona, también es el concepto de la justicia de Dios en el AT. Por ejemplo, hay pasajes que presentan la condenación en la justicia de Dios, como Lamentaciones 1:18, Isaías 10:20-23, 5:13-17, Nehemías 9:33, 2 Crónicas 12:6 y Daniel 9:14. Hay pasajes que hablan del perdón en la justicia de Dios, como Salmos 33:4, 36:5-10, 40:10, 88:11-12, 116:5, Oseas 2:19 (John Piper, *The Justification of God: An Exegetical and Theological Study of Romans 9:1-23*, [Grand Rapids: Baker Academic, 2007], 103-122).

10

La redención: el resultado de la cruz, II

La redención es el rescate[1] o la liberación que alguien otorga mediante el pago de un monto determinado. En la cruz Cristo entregó Su vida para rescatarnos. Allí fuimos redimidos porque Él pagó el costo; fuimos comprados por gracia infinita. El pago lo hizo Jesús. Pagó con Su vida, con Su preciosa sangre derramada, la cual vale más que diez mil universos.

Señalado desde los tiempos antiguos

La teología de redención en el AT es extensa. Contiene una combinación de historias, ceremonias, aspectos culturales, símbolos y declaraciones explícitas, todas señalando a una redención final como la única solución y fundamento de la esperanza del creyente. Por ejemplo, hay tres palabras de donde fluye mucha de esta riqueza:

» En Levítico 25:47-54 la palabra hebrea גאל (gâ'al) era usada cuando algo o alguien (una casa, un familiar o un predio) era redimido mediante el pago realizado de su respectivo costo.

» En Éxodo 13:11-15 la palabra hebrea פדה (pâdâh) significa redimir, pero ligada a un concepto de sustitución. En el texto anterior, por ejemplo, se rescataba un asno ofreciendo la vida de un cordero a cambio; pero también los levitas sirvieron como sustitutos para redimir a los israelitas (Nm 3:11-13), o se daban cinco siclos[2] de plata por un israelita de un mes de edad (Nm 18:16).

» Éxodo 18:1-12 usa la palabra hebrea נצל (nâtsal) cuando Moisés le contó a su suegro Jetro de "lo que el Señor había hecho con Faraón", y ese acto de Dios Moisés lo describió con estas palabras: "los había *librado* (redimido) el Señor" (Éx 18:8).

Sabemos que el lenguaje de redención fue muy valorado por Israel, pero ¿tenía eso algún significado o enseñanza espiritual para ellos en cuanto a su salvación? Sí, pues la redención en la narrativa, las ceremonias y los símbolos apuntaban a la obra de salvación de Dios necesaria para tener comunión con Él y, al final, estar con Él para siempre[3]. Así fue expresado por Dios mismo cuando les dijo: "Los libraré [*nâtsal*] [...] redimiré [*gâ'al*...] y tomaré por pueblo, y Yo seré el Dios de ustedes, y sabrán que Yo soy el Señor" (Éx 6:6-7). También fue reconocido por el pueblo cuando cantó alabanzas al ser rescatado del Mar rojo, porque dijo de la obra de Dios: "En Tu misericordia has guiado al pueblo que has redimido, los has guiado a Tu santa morada, al monte[4] de Tu morada, [... a Tu] santuario. El Señor reinará" (Éx 15:13, 17-18). Dios les dijo, y así ellos también entendieron, que todo apuntaba a la meta divina: conocer y morar eternamente con Dios.

Rescatados y comprados

La Escritura presenta al pecador como uno que es esclavo. La cautividad es causada por el pecado y es necesario que alguien pague por su liberación porque los enemigos del pecador, la muerte y las huestes de maldad, toman ocasión de esa esclavitud para destruirle (1Co 15:53-57). La esclavitud no es material, sino que ilustra la cautividad espiritual causada por el pecado y se manifiesta en la realidad del pecador como pena, culpa y castigo. La única esperanza del pecador es que alguien fuera de él lo redima, porque el precio del pago es imposible para él, pero posible para Aquel en quien tenemos "redención mediante Su sangre, el perdón de pecados, según las riquezas de Su gracia" (Ef 1:7). En la cruz fue realizado el pago completo y fue comprada la libertad en Cristo[5].

Los pasajes más relevantes del NT usan una de dos palabras griegas. La primera es λύτρον (*lytron*), que se define como el precio pagado para redimir al pecador de la penalidad causada por sus pecados[6]. En todo el NT es usada exclusivamente para hablar específicamente de la muerte expiatoria: "el Hijo del hombre [vino] a servir y para dar Su vida en rescate [*lytron*] por muchos" (Mr 10:45; Mt 20:28) y "se dio a Sí mismo por nosotros [...] para redimirnos [*lytron*]" (Ti 2:14). Él vino a hacer una obra de rescate, el costo fue Su vida y fue, en esencia, en sustitución por los pecadores.

La segunda palabra es ἀγοράζω (*agorádzo*). Esta palabra adorna la obra de Cristo, porque aún su significado primario describe al que va al mercado (ἀγορά—*agorá*) y compra algo pagando su valor. En cuanto a Cristo, el uso de la palabra hace referencia exclusiva a Su obra de redención. El enfoque no es que Cristo fue a un mercado a negociar el precio por los pecadores, sino que resalta lo altamente costoso que fue para Él lograr la libertad de los ahora redimidos[7]. Ellos fueron comprados, no para andar en la voluntad de su autonomía, sino para ser libres en Cristo como posesión exclusiva de Dios[8].

En aquellos pasajes donde se resalta que los comprados han venido a ser posesión exclusiva de Dios, la inferencia central conecta al creyente a una dedicación única en libre servicio de obediencia, devoción y adoración a Cristo. Los dos pasajes más claros en cuanto a esto son 1 Corintios 6:19-20 y Apocalipsis 5:9-14.

En el pasaje de 1 Corintios el apóstol Pablo urge a los creyentes a glorificar a Dios en cuerpo y en espíritu, recordándoles que "por precio fueron comprados". El contexto resalta que aquel que se entrega a la fornicación está menospreciando la redención, porque por medio de la redención fue comprado y ya no se pertenece a sí. También el texto relaciona la redención con la morada del Espíritu como un tipo de certificación de que pertenecemos a Dios (ver Ro 8:9-11). Por tanto, habiendo sido redimidos, hemos sido comprados para ser exclusivamente de Cristo. Y si somos de Cristo no podemos ser del mundo ni de la fornicación, sino única y exclusiva propiedad de Dios.

El pasaje de Apocalipsis es simplemente asombrosa gloria. Allí se describe la visión celestial de los cuatro seres vivientes, los veinticuatro ancianos, miríadas de ángeles y la multitud de millones de los comprados que se postraron delante del Cordero inmolado y cantaban:

Digno eres de tomar el libro y de abrir sus sellos, porque Tú fuiste inmolado, y con Tu sangre *compraste* para Dios a gente de toda tribu, lengua, pueblo y nación. Y los has hecho un reino y sacerdotes para nuestro Dios; y reinarán sobre la tierra.

Apocalipsis 5:9

Todos los que aún estamos en la tierra como coro terrenal anhelamos el glorioso día, y mientras tanto nos unimos al coro celestial hasta cuando venga nuestro Rey con todos Sus redimidos y en unísono cantemos: "¡Aleluya, gloria a Cristo!"[9].

Notas del capítulo 10

1. El rescate también puede referirse al pago mismo que se hace para tales fines.
2. Un siclo era la moneda hebrea (Éx 38:24).
3. Ceremonias como la pascua (Éx 12:26-27; 13:13-15) ayudaron a garantizar la transmisión del significado de la redención de generación en generación como una forma de *proto evangelium* (primer evangelio), hasta que en tiempos del NT llegara el Cordero humano-divino que fue inmolado una vez y para siempre (Ro 6:10; Heb 7:27; 9:12, 26; 10:10; 1P 3:1), como parte del plan divino de redención establecido desde antes del principio (Ap 13:8; ver 1P 1:20) (Douglas Stuart, *Exodus*, NAC, vol. 2, ed. E. Ray Clenden [Grand Rapids: Broadman & Holman Publishers, 2006], 289).
4. Teólogos judíos tales como el reconocido académico y rabino Jacob Benno (1862-1945) interpretan Éxodo 15:17-18 con referencia exclusiva al monte Sinaí (Jacob Benno, *The Second Book of the Bible: Exodus*, [Jerusalén: KTAV, 1992], 433), y algunos teólogos evangélicos (véase NAC & EBC) consideran este poema con cumplimiento profético en el monte de Sion, porque luego vino a ser la morada de Dios en Jerusalén (1R 8:13ss). Sin embargo, ambos dejan de considerar al menos cuatro cosas: (1) El poema habla de un santuario permanente, porque dice: "Los plantarás […] para siempre". (2) El monte Sinaí siempre fue pensado para ser solo un lugar temporal, porque era solo una estación (Éx 3:12) antes de entrar a la tierra prometida. (3) El monte mencionado es también un reino donde el Señor reina sin límites. (4) El contexto del poema habla con un lenguaje de guerra en todos los versos y hace referencia al santuario de Dios como un lugar donde ya no hay nada de eso. Por tanto, en este punto de la historia el pueblo solamente podía referirse a un solo lugar como el perfecto monte y morada de Dios, esto es, aquel lugar alto llamado Edén, de donde "salía un río para regar el huerto" (Gn 2:10) (Desmond Alexander, *From Eden to the New Jerusalem: An Introduction to Biblical Theology*, [Grand Rapids: Kregel Academic & Professional, 2009], 15-25, 86). Edén fue el lugar prototipo de la eterna morada de Dios,

el contenido de Éxodo 15 hace alusiones a la narrativa de Génesis y apunta claramente a la obra de la creación de Dios. Más adelante la descripción de la perfecta morada de Dios en Génesis 2 es usada para construir el tabernáculo y luego el templo en Jerusalén (Sailhamer, *The Meaning of the Pentateuch*, 578) como morada temporal, hasta Cristo.

5. En la edad media se difundió el error de que Jesús hizo un pago al diablo (Louw-Nida, 2da ed., vol. 1 [New York: United Bible Societies, 1989]). Pero la Biblia no se enfoca sobre quién se realiza el pago, sino sobre lo que fue realizado, y si fuese a identificarse un receptor sería indirectamente identificado un pago realizado al Padre.

6. Thayer's Greek Lexicon, entrada G3083. La palabra es usada tres veces en el NT, por lo que su significado en parte descansa en el uso de la palabra en el griego clásico, en escritos de conocidos autores tales como Píndaro, Esquilo, Jenofonte, Platón y otros.

7. Véase §37.131 de Louw-Nida.

8. Friedrich Büchsel, "ἀγοράζω", TDNT, ed. Gerhard Kittel & Gerhard Friedrich, trad. & ed. Geoffrey Bromiley (Grand Rapids: Eerdmans Publishing Co., 1964).

9. Frase del Himno: "Hallelujah! What a Savior" (traducido como "Levantado fue Jesús"). Letra y música de Philip Bliss, 1875, y traducción al español de Enrique Turall (1867-1953).

11

La reconciliación: el resultado de la cruz, III

La reconciliación centra la atención en nuestro alejamiento de Dios y en el método divino que nos restaura a Su favor[1]. Por medio de Su muerte expiatoria, Cristo nos reconcilió, restaurando nuestra comunión con Dios que antes estaba enemistada. En Cristo hemos sido reconciliados con Dios Padre.

La reconciliación es central a toda la enseñanza bíblica, porque la comunión con Dios es la esencia del propósito divino para el hombre. La Biblia resume la relación de Dios con Abraham diciendo: "Creyó a Dios y le fue contado por justicia, y fue llamado *amigo* de Dios" (Stg 2:23). El Catecismo Menor de Westminster en cuanto al propósito central del hombre sentencia: "Glorificar a Dios y disfrutar de Él para siempre"[2]. Cuando entró el pecado al mundo la comunión fue quebrada y es por medio de la reconciliación que es restaurada en Cristo.

La enemistad

El pecado ha creado una enemistad entre Dios y nosotros. En cuanto a nuestra enemistad contra Dios, la palabra dice que "éramos enemigos de Dios" (Ro 5:10), que nuestra "carne es enemiga de Dios" (Ro 8:7) y que estábamos "alejados [... con] ánimo hostil"[3] (Col 1:21). Y en cuanto a que Dios está contra nosotros dice que "Él que no obedece al Hijo [...] la ira de Dios permanece sobre él" (Jn 3:36) y esa misma ira "se revela desde el cielo contra toda impiedad e injusticia de los hombres, que con injusticia restringen la verdad" (Ro 1:18).

Un análisis de contrastes de los pasajes antes citados permite ver con mas claridad los polos opuestos entre aquel que está en Cristo y el que no ha sido reconciliado. El siguiente cuadro lo ilustra:

Los que SÍ están en Cristo	Los que NO están en Cristo
Son amigos de Dios	Son enemigos de Dios
Andan en el Espíritu	Andan conforme a la carne
Viven en vida y paz	Están en guerra y muerte
Aman la ley de Dios	Están contra Dios
Se sujetan a Dios	No se sujetan a Dios
Pueden agradar a Dios	No pueden agradar a Dios
Tienen el Espíritu	No tienen el Espíritu

A pesar de que, en sentido general, el ser humano no reconoce el estado constante de enemistad, los contrastes permiten ver la realidad espiritual como aquella disposición interna de hostilidad y oposición[4] tal como la describe el apóstol Santiago: "¡Oh almas adúlteras! ¿No saben que la amistad del mundo es enemistad hacia Dios? Por tanto, el que quiere ser amigo del mundo se constituye enemigo de Dios" (Stg 4:4).

Al final, la inferencia es clara. Solo puede darse una de dos posibilidades: o somos enemigos de Dios y Su ira está contra nosotros, o como resultado de la muerte expiatoria de Cristo hemos sido reconciliados para ser Sus amigos.

El método para reconciliar

Solamente un acto mediado por una sola persona podía procurar y aplicar la reconciliación. Solo la muerte expiatoria de Cristo. La muerte de Jesús es el epicentro de la reconciliación. El apóstol Pablo escribió que "fuimos reconciliados con Dios por la muerte de Su Hijo" (Ro 5:10) "en su cuerpo de carne, por medio de Su muerte" (Col 1:22). Estas palabras resaltan la centralidad de la muerte de Cristo con relación a la reconciliación y describen la manera en que la reconciliación ocurrió. Nos muestran que fue necesaria una muerte física y un total sacrificio, pues en las palabras "cuerpo", "carne" y "muerte" se encuentra señalada la naturaleza de la expiación[5].

La evidencia bíblica nos obliga a alejarnos de cualquier concepto antropocéntrico del sacrificio de Cristo. No debemos considerar la cruz como una fuente de gracia para influenciar moralmente a los hombres a hacer obras justas o dignas de reconciliación con Dios. Tal enfoque antropocéntrico diluye el imperante problema del pecador. El enfoque primario debe ser cristocéntrico: La cruz es el acto fundamental que logra la justicia y da fruto a la reconciliación como un resultado consumado.

En ese sentido, conviene una pregunta: ¿El amor divino de la reconciliación es condicional o incondicional? Ambas son correctas. El amor de Dios es incondicional en el sentido de que nada podemos hacer para merecernos tal amor, pero el amor de Dios es condicional en el sentido de que es necesaria la condición de la muerte expiatoria de Cristo para que pueda haber comunión entre Dios y nosotros. Por tanto, Cristo, con su muerte, restaura, eliminando las barreras de la enemistad que había entre Dios y nosotros y nuestra conversión solo es un resultado de la reconciliación ya adquirida por la cruz.

Reconciliados para ministrar

Gracias a la reconciliación, Dios es nuestro amigo y nosotros amigos de Él; ahora que somos amigos, Dios nos "ha encomendado a nosotros la palabra de la reconciliación", y "somos embajadores de Cristo" al mundo (2Co 5:18-20). Cuando Cristo estaba en la tierra, fue nuestro ejemplo a seguir. Ahora que ha resucitado y está sentado a la diestra de Dios Padre en gloria, nos ha dejado a Su Espíritu y en Su poder proclamamos al mundo: "¡Reconcíliense con Dios!" (2Co 5:20).

¿Cuál es ese mensaje que predicamos? Es el glorioso evangelio que dice: "Al Que no conoció pecado, le hizo pecado por nosotros, para que fuéramos hechos justicia de Dios en Él" (2Co 5:21). El mensaje no está basado en una filosofía, sino en un acontecimiento histórico en el Gólgota, donde Cristo experimentó dolor por los pecadores. De igual forma, cuando la reconciliación es aplicada a nuestras vidas en la conversión, experimentamos amistad y vida en comunión íntima con Jesús.

Tal intimidad con Dios en Cristo es tan profunda que satisface. Por tanto, ¿puede alguno decir que es de bendición poder demostrar que Cristo es Dios, si tal persona no tiene sentido alguno de la dulzura en el corazón de un alma que está en pacto con Dios?[6] ¡Jamás! Y no solamente eso, sino que habiendo sido reconciliados con Dios, seremos los primeros en reconciliarnos con los demás, no sea que nuestras oraciones sean estorbadas (Mt 5:23-24; 1P 3:7) o que al final sea demostrado que realmente nunca fuimos reconciliados en la cruz (1Jn 2:19; 3:21-23; 4:20).

Notas del capítulo 11

1. John Murray, *El plan de salvación*, trad. de Humberto Casanova (Grand Rapids: Eerdmans Publishing Co., 2001), 33.

2. Respuesta a la primera pregunta del Catecismo Menor de Westminster que dice: "¿Cuál es el propósito principal del hombre?".

3. También puede traducirse como "enemigos en la mente".

4. Werner Foerster, "ἔχθρα", TDNT.

5. Richard Melick, *Colossians*, NAC, vol. 32, ed. David Dockery (Nashville: Publishing Group, 1991), 232.

6. James Packer, *A Quest For Godliness* (Wheaton: Crossway Books, 1990), 217.

12

El llamado

El cristiano es presentado en la Biblia como uno que es "llamado". El apóstol Pablo dice que los que aman a Dios son aquellos "llamados" conforme a Su propósito (Ro 8:28)[1]. Sin embargo, considerando todo el NT, encontramos que hay dos tipos de llamados: el llamado *universal* y el llamado *eficaz*.

El llamado *general* o *universal* es la libre oferta del evangelio por medio de la cual Dios sinceramente llama a todos al arrepentimiento. Por ejemplo, al terminar la parábola del banquete de bodas donde muchos fueron invitados, pero solamente algunos fueron a las bodas, Jesús dijo: "Muchos son llamados, y pocos escogidos" (Mt 22:1-14). De igual forma, el concepto del llamado general lo vemos en aquellas tantas ocasiones donde se hizo una invitación al arrepentimiento a muchos, pero solo algunos creyeron (Hch 4:4; 9:42). El caso más claro fue en Atenas cuando Pablo le dijo a la multitud: "Dios declara ahora a todos los hombres, en todas partes, que se arrepientan [...] cuando oyeron, [...] algunos se burlaban y otros dijeron: Te escucharemos otra vez [...], pero algunos se unieron a él y creyeron" (Hch 17:30-34). El llamado general invita a todos, pero no es eficaz.

El llamado *eficaz* es el llamado general acompañado de la obra poderosa del Espíritu Santo regenerando el corazón y asegurando la respuesta sincera del pecador para salvación. El ejemplo más claro lo encontramos en las palabras introductorias de la carta a los hermanos en Tesalónica:

> Porque conocemos, hermanos amados de Dios, su elección; pues nuestro evangelio no llegó a ustedes en palabras solamente, sino también en poder, en el Espíritu Santo.
>
> 1 Tesalonicenses 1:4-5

El pasaje evidencia ambos llamados. La frase "en palabras solamente" hace referencia al llamado general a manera de predicación, y la frase "también en poder" hace referencia al llamado eficaz (ver 1Co 4:20). ¿De dónde vino el poder? Vino "de Dios [...] en el Espíritu Santo". Y ¿cuál fue el resultado asegurado? Una "plena certidumbre", "con gozo del Espíritu" (1Ts 1:6), y una conversión "de los ídolos a Dios" (1Ts 1:9).

El doctor Auberlen comenta la composición gramatical del verso 5 diciendo: "La palabra predicada es la divina fuerza objetiva que brilla [...] y es poderosa en el alma de los hombres [...] y el Espíritu Santo ciertamente fue el autor"[2]. La obra del Espíritu no es pasiva, sino que es el autor que acciona con una fuerza divina, teniendo como objeto el corazón del inconverso que está en tinieblas.

La prioridad

La Biblia presenta la actividad del llamado del Espíritu como algo anterior a la respuesta del pecador. Primero, el Espíritu llama, y luego, el pecador reacciona al llamado, es decir, el llamado siempre precede la respuesta del pecador no en un orden cronológico, sino en un orden de causa y efecto. Es importante resaltar que el orden no es cronológico. Son cosas que suceden a un mismo tiempo, pero sin dejar de especificar que la causa es el llamado poderoso del Espíritu y el efecto es la conversión del pecador. El llamado es antes de la respuesta de fe y el arrepentimiento del pecador.

Distintos textos determinan esta realidad anticipada del llamado del Espíritu de varias maneras. En algunos casos el pasaje define a Dios o al Espíritu Santo como Aquel que hace la obra o que le da poder a la obra (Ro 8:28; 1Ts 1:5). En otros casos, el mismo orden del pasaje así lo indica (Ro 8:30), y en otros más, la necesidad según la condición natural del hombre así lo requiere. Por ejemplo, sin la obra del Espíritu Santo el hombre inconverso está sin comunión con Dios (1Co 1:9), no entiende ni discierne las cosas del Espíritu (1Co 2:14), está muerto en sus pecados (Ef 2:1-3; Col 2:13), no tiene cómo venir al Padre (Jn 6:44), no quiere y ni siquiera puede hacerlo (Ro 8:6-8).

En ese sentido, cuando la palabra es predicada y el Espíritu obra con poder, el llamado es irresistible y los pecadores vienen a Cristo. Es importante aclarar que esto no significa que la gracia del Espíritu no puede ser resistida (ver Hch 7:51; Ro 10:21), sino que el Espíritu Santo puede vencer sobre toda resistencia y hacer que Su influencia sea irresistible. El salmista dice: "Tu pueblo se ofrecerá voluntariamente en el día de Tu poder" (Sal 110:3) y Jesús dijo: "Todo lo que el Padre me da, vendrá a Mí" (Jn 6:37).

La supremacía de la Palabra

A pesar de que el autor es Dios y Él es soberano para decidir el tiempo de Su acción, no podemos separar la obra del Espíritu de la primacía de la predicación del evangelio. La predicación de la palabra del evangelio de Cristo es exaltada por Dios mismo, quien ha determinado que Su poder solo obrará cuando Cristo es proclamado.

Tal como dijo el apóstol Pablo: "El evangelio es poder de Dios para salvación" (Ro 1:16), y que Dios llama por medio del "evangelio, para alcanzar la gloria" (1Ts 2:13-14), porque cuando el Espíritu obra el evangelio no llega "en palabras solamente, sino también en poder" (1Ts 1:4-5). También el apóstol Pedro dijo que fuimos "renacidos […]por la palabra de Dios que vive y permanece para siempre, […] esta es la palabra que a ustedes les fue predicada" (1P 1:23).

El capítulo 10 de Romanos incluye un contexto amplio en cuanto a esto. Allí se describe a unos que tenían celo religioso, pero que no entendían que alcanzar justicia no era posible por obras, sino únicamente por medio de Cristo, y que desde siempre el evangelio de Cristo es el mensaje a ser aceptado y confesado para salvación (Ro 10:1-10; Dt 30:1-14). Pero el argumento no cierra el tema sin antes determinar que para que los pecadores invoquen, crean y sean salvos, es necesario que antes alguno sea enviado a ellos y les prediquen el evangelio (Ro. 10:11-15)[3]. Sin embargo, a muchos les fue predicado y "no todos hicieron caso al evangelio" (Ro 10:16; Is 53:1). Entonces, el escritor concluye: "Así que la fe viene del oír, y el oír, por [medio de][4] la palabra de Cristo" (Ro 10:17). Dicho de otra manera, para que el pecador crea y sea salvo necesita escuchar[5] el evangelio, pero, al final, lo único que garantiza que el pecador escuche el evangelio es que Cristo con su palabra le haga un llamado poderoso, dando orden irrevocable[6] para que sus oídos sean abiertos y entonces él escoja voluntariamente la vida[7].

Notas del capítulo 12

1. Véase también Romanos 8:30; 1 Corintios 1:23-27, Romanos 1:6, 2 Tesalonicenses 1:11, Efesios 4:1-4, 2 Timoteo 1:9, 2 Pedro 1:10.
2. C. Auberlen y C. Riggenbach, *A Commentary on the Holy Scriptures: 1 & 2 Thessalonians*, vol. 7, ed. J. P. Lange, trad. de John Lillie, 1864, consultado en Logos Bible Software, 16.
3. En ese mismo orden bíblico podemos responder a la pregunta de aquellos de los que no conocemos su historia. Por ejemplo, ¿Cuántos indígenas incas están en la gloria? No lo sabemos, pero sí sabemos que si algunos creyeron y están en la gloria, es porque primero alguien fue a ellos y les predicó el evangelio del Hijo de Dios.
4. La palabra "por" traduce de la preposición griega διὰ (*diá*, entrada G1223) que, junto al genitivo, tal como está en Romanos 10:17[b], debe ser entendida como "por medio de".
5. De la frase "el oír" se infiere que el pecador está sordo al mensaje del evangelio.
6. Algunos toman la frase "por la palabra de Cristo" como un genitivo objetivo, indicando que se refiere a "la palabra que habla acerca de Cristo" (Archibald Robertson, *Word Pictures in the New Testament*, vol. 4 [Nashville: Broadman Press, 1960], 390), pero tal conclusión no tiene sentido en el contexto ya que esa es exactamente la dificultad presentada en el verso 16, esto es, que cuando se habla acerca de Cristo (el evangelio), no todos le hacen caso al llamado del evangelio. Mounce acierta cuando dice: "*Por la palabra de Cristo*, esto es, que es Cristo mismo que habla cuando el evangelio es proclamado. Toda predicación eficaz es lograda por Dios mismo. El mensajero es el instrumento usado por el Espíritu Santo como un una parte necesaria del proceso" (Mounce, *Romans*, 212).
7. Una conclusión similar la podemos inferir de las palabras de Jesús en Juan 5:24-25. Allí Jesús explica que aquel que "oye […] y cree […] ha pasado de muerte a vida". Pero ¿qué poder está detrás de eso? Jesús responde: "Viene la hora, y ahora es, cuando los muertos oirán la voz del Hijo de Dios, y los que oigan vivirán". Piper comenta: "Jesús estaba mostrando en aquella hora cómo será la última hora al final. Y estaba mostrando más de Su gloria, la gloria de Su soberana voz sobre la muerte. Él da la orden, y la orden crea lo que fue ordenado" (John Piper, "The Life-Giving Voice of the Son of God", Sermón en línea consultado el 14 de enero del 2015. URL: http://www.desiringgod.org/sermons/the-life-giving-voice-of-the-son-of-god).

13

El nuevo
nacimiento

Pocos encuentros son tan conocidos como aquella noche cuando Jesús le dijo a Nicodemo: "El que no naciere de nuevo no puede ver el reino de los cielos [...] no puede entrar en el reino de los cielos" (Jn 3:3, 5). Nicodemo quedó sorprendido, ya que siendo "el maestro de Israel" (Jn 3:10) pensaba que sus grandes conocimientos, certificaciones, linaje o 'pureza moral' le garantizaba el reino. Pero Jesús "no se confiaba [...] pues Él sabía lo que había en el hombre" (Jn 2:24-25) y le dijo: "No te maravilles de que te dije: es necesario nacer de nuevo" (Jn 3:8).

¿Qué sucede cuando nacemos de nuevo? El Espíritu crea en nosotros una nueva vida de íntima relación y unión con Cristo[1]. El nuevo nacimiento no es una nueva religión, no es una afirmación de lo sobrenatural, no es un cambio de inclinación hacia un tema político o social y no es una mejoría de la naturaleza humana. Es una nueva vida.

En el nuevo nacimiento no hay un nuevo ser humano, sino un cambio tan profundo y extenso que no hay otra forma de explicarlo. El nuevo nacimiento es exhibido en el mensaje bíblico desde el principio hasta el final. No solo aparece como "nacer de nuevo", sino también como un nuevo corazón para amar a Dios (Dt 29:2-4; 30:6), abrir los ojos para ver a Dios (2Co 4:3-6), resurrección de la muerte espiritual (Col 2:20) y circuncisión del corazón incircunciso (Ro 2:29), entre otras formas.

Los Pasajes Claves

Hay una serie de pasajes claves[2] que resaltan cuatro temas importantes en cuanto al nuevo nacimiento: 1) la condición del hombre que no ha nacido de nuevo, 2) el mensaje de poder determinado por Dios, 3) el promotor del nuevo nacimiento y 4) la respuesta del hombre.

¿Cuál es la condición del hombre que no ha nacido de nuevo?[3] En cuanto a las cosas "que son del Espíritu de Dios", él "no [las] percibe [...] porque para él son locura". "No las puede entender" porque no las puede discernir (1Co 2:14). No las puede obedecer (Dt 5:29; Ez 36:27), sino que, cegado su entendimiento (2Co 4:3-6), anda "siguiendo la corriente de este mundo [...] haciendo la voluntad de la carne" (Ef 2:1-3). Por eso Jesús dijo: "Les es necesario nacer de nuevo" (Jn 3:5).

¿Cuál es el mensaje de poder determinado por Dios? Es el evangelio, que "es poder de Dios para salvación". Por eso obedecemos el mandato de Cristo: "Vayan por todo el mundo y prediquen el evangelio" (Mr 16:15), porque "¿cómo creerán en Aquel de Quien no han oído?" (Ro 10:14). Predicamos a "Cristo crucificado [...] poder de Dios" para todos (1Co 1:23-24).

¿Quién es el promotor del nuevo nacimiento? ¡Dios! Dios mismo dijo: "Les daré a ustedes un corazón nuevo" (Ez 36:25-27 NBLH). Dios "de su voluntad, nos hizo nacer" (Stg 1:17-18). Dios "nos dio vida" (Ef 2:4-6). Dios "mandó [...] y resplandeció en nuestros corazones" (2Co 4:6). Somos "engendrados [...] de Dios" (Jn 1:11-13).

¿Cuál es la respuesta del hombre? Cuando el hombre nace de nuevo puede ver (o creer en) el reino que para él antes estaba oculto en tinieblas y entrar a la vida con un nuevo Rey. La nueva respuesta del que ha nacido de nuevo siempre es en fe, arrepentimiento, adoración y amor a Dios. Así dijo Moisés al pueblo antes de entrar a la tierra prometida: "El Señor tu Dios circuncidará tu corazón […] para que ames al Señor" (Dt 30:6). En el texto de la promesa del nuevo pacto dijo Dios: "Les daré a ustedes un corazón nuevo […] y haré que anden en mis estatutos" (Ez 36:25-27 NBLH). El apóstol Juan dijo que los que "creen en su nombre" son aquellos que fueron "engendrados […] de Dios" (Jn 1:11-13). El hombre que estuvo ciego de nacimiento, luego de ser sanado, podía ver a Jesús con los ojos físicos, y no con los del alma. Pero cuando Cristo se le reveló, "él entonces dijo: 'creo, Señor'. Y le adoró" (Jn 9:35-38).

La luz de la gloria de Dios

La luz es usada como metáfora para explicar el milagro del nuevo nacimiento. La más asombrosa metáfora la encontramos en 2 Corintios 4:1-6. El autor describe la condición de la gente sin Cristo como incrédulos con los ojos velados, a quienes "el dios de este mundo les ha cegado el entendimiento"(2Co 4:4). La actividad específica del maligno es cegarlos para que no vean a Cristo en el mensaje que predicamos, que es "el resplandor del evangelio de la gloria de Cristo" (2Co 4:4)[4]. Ante esa situación, ni aún los mismos apóstoles pretendieron tomar el liderazgo ante las tinieblas, sino que se presentaron como simples "siervos" que en su proclamación señalaron a "Cristo Jesús como Señor" (2Co 4:5).

Con las tinieblas gobernando sobre los incrédulos y el maligno tomando el frente del batallón, queda solo uno que puede intervenir: el Señor. Entonces, el escritor maravillosamente compara el nuevo nacimiento a aquel momento de impacto universal cuando "dijo Dios: 'sea la luz'. Y hubo luz'" (Gn 1:3). ¿Qué es exactamente lo que sucede? Dios da la orden y, en un instante, en nuestros corazones resplandece "la iluminación del conocimiento de la gloria de Dios en la faz de Cristo", engendrando una nueva creación con más gloria que la creación primera[5]. Omanson, en su guía para la traducción del texto, comenta: "La luz viene del conocimiento". ¿El conocimiento de qué? "La palabra *conocimiento* en este contexto se refiere esencialmente a lo mismo que el evangelio (en el verso 4)". La gloria de Dios presentada en el evangelio es el contenido del conocimiento[6].

Por tanto, mientras fielmente predicamos al Cristo crucificado y resucitado, opera la libre y soberana palabra de Dios. Dios da una orden y aquellos que tenían sus ojos velados por las tinieblas no les queda de otra que someterse al majestuoso poderío de Aquel que con tan solo tres palabras engendró la luz: "¡Sea la luz!" (Gn 1:3). O que con tan solo con dos palabras resucitó a Lázaro: "¡Sal Fuera!" (Jn 11:43) y a la hija de Jairo: "Talita cum" (Mr 5:41). O que con una sola palabra resucitó al adúltero[7] pueblo de Israel: "¡Vive!" (Ez 16:6).

Tal como dijo el apóstol Pedro, somos llamados por Dios de "las tinieblas a Su luz admirable" (1P 2:9). Por eso, oramos, rogamos y cantamos a Dios en las palabras del salmista Asaf en el Salmo 80[8]:

Oh Pastor de Israel… ¡Resplandece! (v 1)

¡Despierta tu poder y ven a salvarnos! (v 2)

¡Restáuranos, oh Dios! (v 3)

¡Resplandece tu rostro sobre nosotros y seremos salvos! (v 3)

Oh Señor, Dios de los ejércitos, ¡restáuranos! (v 7)

¡Haz resplandecer tu rostro sobre nosotros y seremos salvos! (v 7)

Oh Dios de los ejércitos, ¡vuelve ahora, te rogamos! (v 14)

¡Avívanos e invocaremos tu nombre! (v 18)

¡Resplandece tu rostro sobre nosotros y seremos salvos! (v 19)

Notas del capítulo 13

1. John Piper, *Finally Alive*, (Minneapolis: Desiring God Foundation, 2009), 33.
2. Deuteronomio 5:29; 29:2-4; 30:1-6, Jeremías 31:33, Ezequiel 36:27, Juan 1:11-12; 3:3-8, Tito 3:5, Santiago 1:18; 1 Pedro 1:3; 1:23, 1 Juan 3:3; 5:9; 5:1, 2 Corintios 4:3-6, Efesios 2:1-12.
3. Solo del pasaje de Juan 3 sabemos que el que no ha nacido de nuevo (1) no es considerado por Jesús como una persona de confianza (Jn 2:24-25), (2) no puede ver el reino de Dios (Jn 3:3), (3) no entiende las cosas del reino (Jn 3:4), (4) no puede entrar al reino (Jn 3:5) y (5) es de la carne, no del Espíritu (Jn 3:6).
4. La inferencia es similar a la de Isaías 53:1 y a la de Romanos 10:16-17, esto es, que solamente porque se predique el evangelio no se garantiza que la gente crea. Solo la palabra operativa de Cristo garantiza que la gente escuche y luego crea, pero sin olvidar que Dios ha determinado dar la palabra cuando el evangelio es predicado.
5. Jonathan Edwards hablaba de la obra de la creación como una sombra, y que es la obra de la nueva creación que es mucho más gloriosa que la primera: "Lo digo con firmeza, que la obra de Dios en la conversión del alma es más gloriosa que la obra de Dios en la creación de todo el universo" (Jonathan Edwards, *The Works of Jonathan Edwards*, 379, vol. 1; en James Packer, *A Quest for Godliness*, 324).
6. Roger Omanson & John Ellington, *2 Corinthians: A translator's handbook on Paul's second letter to the Corinthians* (New York: United Bible Societies, 1993), 73.
7. La profecía usa el concepto de adulterio como equivalente a idolatría. Cuando la solución es resurrección ("¡Vive!" – Ez 16:6), el contraste determina que el adulterio y la idolatría también pueden ser consideradas como muerte espiritual.
8. El refrán descrito en los versos 3, 7, 14 y 19 hacen referencia a una petición al Señor por Su restauración de gracia de Sus misericordias del pacto. El pueblo ha quebrantado el pacto, y solamente el Señor puede avivar al pueblo a través del perdón de pecados (Willem VanGemeren, *Psalms*, EBC, vol. 5, ed. Frank E. Gaebelein [Grand Rapids: Zondervan, 1991], 524).

14

La fe

Sin fe es imposible agradar a Dios (Heb 11:6). Siendo la fe algo tan importante, ¿cómo puede ser tan malentendida? Por lo general, aún en círculos cristianos se sigue el esquema secular expresado por el filósofo francés Voltaire que dijo: "La fe consiste en creer cuando se está más allá del poder de la razón"[1]. De esta forma se ha determinado que la razón abarca todo lo que se puede conocer, y la fe solo sirve para definir todo aquello que va más allá de lo conocible, incluyendo a veces hasta lo absurdo. Siempre se habla de la fe en un contexto de incertidumbre y como un conjunto de proposiciones que tienen la probabilidad de ser ciertas. Pero el concepto bíblico de la fe no es así.

Si hemos de definir la fe bíblica en solo una palabra, esa sería "confiar". Para confiar se necesita revelación, porque para creer primero se necesita conocer. En ese sentido, la fe siempre es una respuesta o reacción espiritual apropiada a la revelación de Dios[2]. No es confianza en algo que está más allá del conocimiento humano, sino que es convicción en lo que Dios ha revelado de Sí mismo en Su creación[3], en la conciencia, en Su palabra y, sobre todo, en Jesucristo (Heb 1:1-2).

Lo que *no* es fe

La confusión e ignorancia en cuanto a la fe bíblica no es algo nuevo a nuestros tiempos. En la Palabra encontramos varios casos que ilustran lo que aparentemente podría ser llamado "fe", pero que realmente lo que evidencian es una fe falsa. Algunos de estos casos son[4]:

» *La fe histórica.* Santiago escribió de aquel que "cree que Dios es uno", pero de igual forma "también los demonios creen" (Stg 2:19). Esto es que cree que Dios existe y que ha intervenido en la historia, pero que sus obras demuestran que no se ha rendido al señorío de Dios (Stg 2:20-26).

» *La fe milagrosa.* "Muchos creyeron en Su nombre, viendo las señales que hacía, pero Jesús mismo no se fiaba de ellos" (Jn 2:23-25; 3:2). Estos creyeron en lo sobrenatural y anhelaban ver más milagros. ¿Por qué Jesús no se fiaba de ellos? El texto dice: "Porque conocía a todos". En otras palabras, que como Jesús conocía los corazones, sabía que ellos no eran de confiar porque su anhelo no era Jesús, sino los milagros[5].

» *La fe de la prosperidad.* Después de que Jesús milagrosamente multiplicara los panes y los peces y alimentara a miles, muchos le seguían, pero Jesús reveló sus verdaderas intenciones: ellos le buscaban "porque habían comido del pan y se saciaron" (Jn 6:26). Estos estaban dispuestos a seguir a Jesús, no porque era el pan de vida (Jn 6:27), sino porque vieron en Él una fuente de prosperidad material (Jn 6:35-36, 66).

» *La fe temporal*. Esta sucede en aquel que "oye la palabra, y al momento la recibe con gozo; pero no tiene raíz en sí mismo, sino que es de corta duración, pues al venir la aflicción o la persecución por causa de la palabra, luego tropieza" (Mt 13:20-21). En cierto sentido, toda fe falsa es temporal, pero esta tiene la peculiaridad de que por un tiempo convence a todos de que es verdadera, y su falsedad no es perceptible hasta que no vengan tiempos difíciles[6].

» *La fe religiosa o de justicia propia*. Esta acompaña a aquellos que tienen un profundo celo religioso o ético así como el de los judíos de quienes habló Pablo en Romanos 9 y 10. Su celo "no era conforme a un pleno conocimiento" porque se dedicaron a ir tras la salvación "no por fe, sino como por obras [de la ley]" (Ro 9:32)[7]. Un ejemplo práctico es aquel que fue al templo a orar: "Dios, te doy gracias porque no soy como los demás hombres" . Él creía en su propio esfuerzo para lograr conformarse al código moral, pero no confiaba en Cristo para su justificación (Lc 18:9-14).

Lo que *sí* es fe

Desde el principio la fe ha sido esencial para tener comunión con Dios porque "por ella recibieron aprobación los antiguos" (Heb 11:2). Y si alguien es un ejemplo de fe para todos, ese fue Abraham, el padre de la fe (Heb 11:8-20)[8]. Todo el que tiene esta fe confía en su corazón en base a la evidencia espiritual provista, porque a pesar de que sus ojos no lo puedan ver (Heb 11:1), la evidencia provista es la revelación divina iluminada por Dios.

La fe es una entrega total a Dios a causa de haber gustado Su bondad, que fue revelada por el Espíritu, que está fundamentada en las promesas del Espíritu en Cristo y que da buenos frutos. La entrega total es comparada a aquel que, cuando coma del pan de vida (Cristo), quedará satisfecho y vivirá para siempre (Jn 6:50-51). Cuando beba del agua de vida, no tendrá sed jamás (Jn 4:13-14). Cuando vea en Jesús el Salvador del mundo, caerá de rodillas en busca de perdón (Lc 5:8). Y cuando entienda que al que cree todo le es posible, clamará al Señor: "Creo; ayúdame en mi incredulidad" (Mr 9:23-25).

La reflexión constante del creyente es el carácter de Dios y Sus promesas en Cristo. Él confía y se acerca a Dios creyendo "que Él existe, y que es remunerador de los que le buscan" (Heb 11:6), sabiendo que la mayor expresión de la remuneración es eterna y ya está asegurada, pero todavía no lista para disfrutarla totalmente (Heb 11:6, 13). Él sabe lo pasajero de los placeres temporales del pecado, y considera como mayores riquezas el oprobio de Cristo, teniendo la mirada puesta en la recompensa; se mantiene firme como viendo al Invisible (Heb 11:24-29). Él está seguro en su corazón, porque gracias a la cruz que compró el perdón de sus pecados y lo declaró justo ante Dios, nada lo puede apartar del amor de Dios (Ro 8:31-36); que por medio de todas las cosas en su vida, por más difíciles que sean, Dios siempre le hace el bien (Ro 8:28; Gn 50:20).

La gente cambia su manera de actuar cuando deposita su confianza en algo o alguien, porque la fe sin obras está muerta (Stg 2:20). No es posible que exista una sin la otra, pero siempre en el mismo orden: las obras no engendran la fe, sino que las obras son el fruto imperativo de la fe. Las obras como fruto espiritual justifican[9] la fe porque demuestran que la fe es verdadera. El ejemplo icónico es Abraham. ¿Por medio de qué le fue contada la justicia de Dios? Fue por medio de la fe. ¿Cómo y cuándo se justificó (o demostró) que su fe era real? Muchos años después, por medio de las obras[10]: "Abraham nuestro padre cuando ofreció a Isaac su hijo sobre el altar" (Gn 22:9-18; Stg 2:21-24). Por eso Jesús dijo acerca de los falsos: "por sus frutos los conoceréis" (Mt 7:20,17:23), porque la fe actúa juntamente con las obras (Stg 2:22).

Notas del capítulo 14

1. François-Marie Arouet, *The Works of Voltaire*, Philosophipcal Dictionary Part 3, vol. 5 (New York: Alfred A. Knopf, 1928), 253.
2. En sentido opuesto la incredulidad es una reacción espiritual adversa a la revelación de Dios (Ro 1:18-23).
3. Véase también Salmo 19:1-8 y Romanos 1:19-20; 10:18-21.
4. Basta con los cinco ejemplos mencionados, pero también hay otros casos. (6) *La fe de poder* de Simón el Mago que pretendió comprar el don de Dios con dinero (Hch 8:9-24); (7) *La fe hipócrita* de Herodes que pidió a los reyes del oriente que le avisaran cuando encontraran al niño para que él también le adorara (Mt 2:1-18); (8) *La fe de maestros y milagreros*, pero que no conocen lo que es adorar a Dios (Mt 7:21-22); (9) *La fe de la experiencia sobrenatural*, pero que no es como aquellos que "pertenecen a la salvación" (Heb 6:4-9).
5. Juan 2:23-25 es el contexto de la historia de Nicodemo. La idea del autor es que tanto estos amantes de milagros como también Nicodemo (Jn 3:2) no habrán de tener una verdadera fe para "ver el reino" sin haber nacido de nuevo. Lincoln agrega: "El episodio de Nicodemo elaborará este punto de vista […] de tales deficientes marcas de fe" (Andrew Lincoln, *The Gospel According to Saint John, Black's New Testament Commentary* [London: Hendrickson Publishers, 2005], 145).
6. Por eso dijo el Señor a Israel que los probó en tiempos difíciles con el amor de un padre: "Para humillarte y probarte, y para finalmente hacerte el bien" (Dt 8:5, 16).
7. No entendieron que el propósito de la ley fue señalar a Cristo para justicia (Ro 9:30-10:4).
8. Véase Génesis 15:6, Romanos 4:1-4, Gálatas 3:6 y Santiago 2:23.
9. Es importante señalar que la palabra "justificar" es una traducción del verbo griego δικαιόω (*dikaióo*). El verbo comúnmente significa (1) declarar justo a alguien o (2) demostrar que algo o alguien es justo, y se traduce e interpreta según el contexto (Thayer's Greek Lexicon, entrada G1344). En los escritos de Pablo justificar es declarar justo, pero aquí en Santiago justificar es demostrar que alguien es justo. Por tanto, la inferencia del texto es que las obras de Abraham demostraron que su fe era verdadera, y así también debe ser en nosotros.

10. La obra que se menciona en Santiago es el sacrificio de Isaac, pero en ninguna manera asume que fue la única obra de Abraham, sino que, en el relato de la historia de su vida, ninguna obra fue más representativa para demostrar que ese sacrificio fue un fruto de su fe, y que su fe era verdadera delante de Dios.

15

El arrepentimiento

El arrepentimiento es como cuando un soldado da media vuelta. El soldado antes marchaba hacia un destino, pero cuando el teniente da la orden: "¡media vuelta!", el soldado abandona su rumbo anterior y toma uno nuevo. Cuando una persona se arrepiente, cambia su mentalidad[1]. Pero hay algo más profundo que eso. El arrepentimiento para vida eterna puede ser definido de una manera mucho más completa como aquella gracia de salvación divina donde el pecador, convencido verdaderamente de que ha pecado, abrazando la misericordia de Dios y despreciando su pecado, se aparta y se dirige a Dios. Esta definición puede ser mejor entendida si la ilustramos con un árbol.

El árbol del arrepentimiento[2]

Imagina que, acompañando al árbol, se encuentran el terreno, las raíces, el tronco y las ramas. El terreno es la gracia de Dios que transforma el corazón, de donde nace el arrepentimiento, porque el arrepentimiento es un don que Dios otorga en el corazón que ha sido regenerado. A eso se refería el apóstol Pedro cuando dijo: "El Dios de nuestros padres levantó a Jesús [...] para dar a Israel arrepentimiento" (Hch 5:30-31)[3]. Y luego, cuando dio testimonio de lo que Dios hizo con Cornelio, los creyentes respondieron: "También a los gentiles ha dado Dios arrepentimiento para vida" (Hch 11:18). Dios es quien concede el arrepentimiento (2Ti 2:24-25)[4].

Las raíces son dos: (1) verdadera convicción de pecado y (2) confianza en la misericordia de Dios. Ambas raíces las podemos ver claramente en el Salmo 130 y en Lucas 15. La verdadera convicción la podemos identificar en oraciones tales como: "De lo profundo a Ti clamo, oh Señor [...] Señor, oye mi voz [...] si Tú tuvieras en cuenta las iniquidades, ¿quién, oh Señor, podría permanecer?" (Sal 130:1-3). "Padre, he pecado contra el cielo y ante ti; ya no soy digno de ser llamado hijo tuyo" (Lc 15:18-19). Y la confianza en la misericordia de Dios se ve en oraciones tales como: "Volviendo en sí, dijo: ¡Cuántos de los trabajadores de mi padre tienen pan de sobra!" (Lc 15:17)[5]. "En Ti hay perdón [...] espero en el Señor [...] en Su palabra tengo esperanza [...] en el Señor hay misericordia y abundante redención" (Sal 130:4-7).

Ambas raíces son necesarias porque si hay convicción de pecado, pero no hay confianza en el perdón de Dios, quedaremos agobiados, tristes y deprimidos (2Co 7:9). Por otro lado, si hay confianza en la bondad de Dios, pero no estamos convencidos de pecado, no encontraremos razón para cambiar de mente, apartarnos del mal camino y seguir a Jesús (Mr 10:17-22)[6]. Roberts describe dos tipos de arrepentimiento: el *legal* y el *evangélico*. El arrepentimiento legal puede incluir muchos aspectos del arrepentimiento como el remordimiento y hasta cambios en la conducta, pero solamente el arrepentimiento evangélico es un cambio de todo el ser para vida eterna[7].

El tronco y las ramas son las características o frutos visibles del arrepentimiento. Aquel que antes andaba en la carne, obraba según los deseos de la carne, pero cuando se arrepiente, su arrepentimiento se evidencia en que ya no anda según la corriente de este mundo, sino que por el Espíritu hace morir las obras de la carne (Ro 8:13). El verdadero arrepentimiento da frutos y anda conforme a la nueva vida en Cristo (2Co 7:10-11).

Al final de la prédica de Pedro, cuando convenció a los oyentes de que ellos mismos habían crucificado a Jesús, ¿qué frutos visibles se evidenciaron? Compungidos de corazón, confesaron[8] su pecado y su necesidad de perdón, y luego se añadieron a los demás creyentes (Hch 2:37-42)[9]. Aquel que está arrepentido lo evidencia con una renuncia a todo apegamiento al pecado, abandona la justicia propia, se fortalece en el Espíritu para luchar y se entrega al regazo de la misericordia de Dios (Mt 16:24; Jn 15:5; Lc 18:10-14; 1Ts 1:9).

La importancia

El arrepentimiento es inseparable al mensaje del evangelio. "El reino de Dios se ha acercado; arrepiéntanse". Jesús dijo esto porque fue un ingrediente esencial del mensaje del reino (Mr 1:14-15). Fue la única respuesta aceptable a Su llamado evangélico, porque Él vino a llamar a "pecadores al arrepentimiento" (Mt 9:13; Lc 5:31-32). Cuando Jesús ordenó la gran comisión, dijo que se "predicara en Su nombre el arrepentimiento" (Lc 24:45-48)[10] y, más adelante, los apóstoles decían: "¡Arrepiéntanse!", porque tal llamado era esencial al mensaje que predicaban y autorizaban (Hch 2:37-38)[11].

El llamado que el evangelio hace a los pecadores presenta al arrepentimiento como el único camino a la remisión de pecados (Lc 24:46-47;

Hch 5:31). Es la única solución a la condenación (1P 3:9) y la única preparación válida para el juicio de Dios. Por eso Jesús dijo: "Si no se arrepienten, perecerán igualmente" (Lc 13:3 NBLH).

Fe y arrepentimiento

¿Qué debe hacer el hombre para ser salvo? ¿Creer o arrepentirse? Es interesante que dentro del mismo libro de los Hechos haya casos donde se llamaba al arrepentimiento[12] y haya otros donde se llamaba a creer[13] para el perdón de pecados. La intención no es definirlos a ambos como la misma cosa, pues la fe y el arrepentimiento no son sinónimos.

Fe y arrepentimiento son distintos ejercicios del alma en cuanto a sus actos y propiedades. El arrepentimiento es cambio de mente y la fe es confianza en las promesas de Dios en Cristo. La fe se relaciona más con Jesucristo el Salvador y el arrepentimiento se relaciona más con Dios el Juez. Sin embargo, aun siendo distintos son inseparables en experiencia. Ambos se complementan y se envuelven uno al otro[14].

¿Cuál es primero? ¿Cuál es más importante? La mejor manera de responder estas preguntas es que no es posible tener verdadero arrepentimiento sin creer, y no hay verdadera fe sin arrepentimiento. En la fe, el arrepentimiento es evidente porque se confía en algo en lo cual antes no se confiaba. En el arrepentimiento, la fe es imprescindible porque el pecador necesita creer que hallará descanso en la misericordia de Dios o si no jamás llegaría a los brazos de Dios.

Ambos son iguales en importancia. Si le damos más valor al arrepentimiento, el mensaje motivará a ganarse la misericordia por obras o dejará al pecador frustrado porque no tiene un seguro en el cual confiar. Si le damos más valor a la fe, el mensaje motivará un cristianismo fácil basado en una simple decisión, mas no en una profunda relación con

Dios que involucre adorarle con la mente, las emociones, las fuerzas y el corazón, es decir, con todo el ser.

Notas del capítulo 15

1. La palabra arrepentimiento en el NT es la traducción de la palabra griega μετά νοια (*metánoia*, Thayer's Greek Lexicon, entrada G3341). Significa un cambio de mente, pero rara vez es una función única del intelecto, sino que afecta además a las emociones y a la voluntad. También en sentido secundario incluye el remordimiento por faltas que deben ser corregidas. Sin embargo, el arrepentimiento por sí solo no es en ningún sentido ético. Puede ser para lo malo o lo bueno, tal como lo indica 2 Corintios 7:10 (Johannes Behm, "μετάνοια", TDNT).
2. Ilustración del doctor Samuel E. Waldron, Ph.D.
3. Kistemaker comenta: "Pedro enfatiza que tanto el arrepentimiento como la remisión de los pecados son dones de Dios a Israel" (Kistemaker, *Exposición de los Hechos de los Apóstoles, Comentario al Nuevo Testamento* [Grand Rapids: Libros Desafío, 2001], 219,).
4. Algunos ejemplos del AT que señalan a Dios como el dador del arrepentimiento son Salmos 14:7; 53:6; 60:1, Jeremías 24:6-7, Ezequiel 36:22-27 y Malaquías 4:5-6.
5. Se acordó de un hombre prospero, amable y bondadoso que no permitía que ni siquiera sus jornaleros sufrieran necesidad (Juan Cevallos y Rubén Zorzoli, *Comentario Bíblico Mundo Hispano* [El Paso: Editorial Mundo Hispano, 2007], 251). La idea es que la bondad de su padre se conocía aun entre sus trabajadores.
6. El joven rico vio en Jesús un "maestro bueno", y hasta alguien digno de seguir, pero cuando fue confrontado con su pecado, no aceptó el llamado al arrepentimiento.
7. Richard Owens Roberts, *Repentance: The first word of the Gospel* (Wheaton: Crossway Books, 2002), 119-122.
8. La confesión siempre es parte del arrepentimiento, pero no siempre es manifestada públicamente. Es bíblico que aquellos que están arrepentidos confiesen su pecado (Sal 32:5; 51:1; Pro 28:13; Mt 6:12).
9. Jesús expresó que el bautismo es fruto de arrepentimiento (Mt 3:8).
10. En todos los demás pasajes de la gran comisión el concepto está implícito. Mateo 28:16-20, Marcos 16:15-16, Hechos 1:3-10.
11. Véase también Hechos 3:18-19; 11:18; 17:30; 20:20-21.

12. Véase también Hechos 2:37-38, 3:19, 5:31, 11:18, 17:30.

13. Véase también Hechos 8:12, 10:43; 11:17; 13:39, 16:30-31.

14. Por ejemplo, el apóstol Pablo dijo que "Juan bautizó con bautismo de arrepentimiento, diciéndole al pueblo que creyera" (Hch 19:3-4).

16

La justificación

Lutero dijo: "La justificación es el amo y príncipe de todas las demás doctrinas, la piedra angular de la teología"[1]. La justificación es central a todo el sistema de doctrinas cristianas, fundamental a todas las enseñanzas de Pablo[2] y de un bien esencial para el hombre[3]; está íntimamente conectada a la gloria de Dios porque da a conocer más de la realidad de lo que es Dios para nosotros en Cristo.

Gracias a la obra lograda por Cristo en la cruz, por medio de la gracia divina de la justificación, Dios declara justo al impío que cree, imputando todos sus pecados a la cuenta de Cristo e imputando la perfecta justicia de Cristo a la cuenta del pecador. No es por ninguna obra hecha por el pecador ni por nada bueno en él, sino únicamente por la perfecta obediencia de Cristo, que satisfizo completamente a Dios.

En esencia, *justificación* significa declarar justo a alguien. Esto se observa en varios pasajes. En Lucas 16:14-15 Jesús afirma que la justificación propia es inútil ante Dios, quien conoce lo corazones. Pero la justificación que viene de Dios para el que cree en Él, como dice Pablo en

Romanos 4:1-8, es otorgada no porque el creyente se lo merece, como si hubiera trabajado por ganárselo, sino simplemente por su fe. Por eso nadie lo puede condenar (Ro 8:33-34), porque esa justificación es una obra ya realizada y efectuada a su favor (Ro 5:1; 8:1).

En algunos pasajes el término "declarar" debe ser remplazado por "demostrar". El uso más destacado de lo anterior lo encontramos en la carta de Santiago, cuando el apóstol dice que las buenas obras "justifican", es decir, demuestran que la fe, en este caso la de Abraham, era verdadera (Stg 2:20-24)[4].

Desviaciones

Hay dos importantes desviaciones a la enseñanza bíblica de la justificación. La primera sostiene que, en la justificación, Dios *hace* justo e infunde justicia al pecador paulatinamente. Describe la justificación como si fuera un proceso donde el creyente mismo es hecho justo[5]. Pero la Biblia no apoya tal conclusión porque la justificación es presentada como una obra ya realizada y no como un proceso (Lc 18:13-14; Ro 5:1). El término, en el ámbito legal de donde se toma, hace referencia a que la justicia no puede proceder del pecador (de adentro hacia fuera), sino que ya ha sido imputada en él (de afuera hacia dentro) por Dios (Ro 4:1-8; 8:1). Tal y como dijo el apóstol: "[Anhelo] ser hallado en Él [Cristo][6], no teniendo mi propia justicia derivada de la ley, sino la que es por la fe en Cristo, la justicia que procede de[7] Dios sobre la base de la fe" (Fil 3:9).

La segunda y más reciente desviación es conocida como *la nueva perspectiva*[8]. Enseña que la justificación no trata principalmente de cómo el pecador puede estar a cuentas con Dios, sino de cómo fundamentalmente es parte de la iglesia de Cristo, y más específicamente de cómo los gentiles pueden ser admitidos dentro el pueblo de Dios sin necesidad de circuncisión, reglas alimentarias y demás[9]. Sin duda, el evangelio trata el tema de incluirlos a todos en el pacto, pero solo como un maravilloso y anticipado resultado. La justificación tiene que ver con que el pecador puede estar en paz (estar bien) con Dios por su justicia, la cual es contada en Cristo[10].

El Autor y los bendecidos

"Dios es el que justifica" (Ro 8:33-34). Dios es el autor de la justificación. En la cruz Dios puso en la cuenta de Cristo nuestros pecados y la justicia de Cristo a la cuenta nuestra, "para que nosotros fuéramos hechos justicia de Dios en Él" (2Co 5:21). La justicia imputada es evidente, porque no somos justificados por mérito alguno, virtud personal o buena obra que haya ganado el favor de Dios. El texto es muy claro sobre esto, pues dice que Abraham tuvo buenas obras, pero que, en cuanto a gloriarse como uno que ha alcanzado méritos, dice: "No para con Dios" (Ro 4:2). Lo que resalta como algo positivo es que Abraham se consideró delante de Dios como aquel "que no obra, sino cree", y su fe le fue contada por justicia a su favor (Ro 4:1-4)[11].

Convencido en una justicia fuera de él[12], Abraham creyó. La fe es el instrumento que nos une a Cristo, porque somos justificados "por fe"[13]. La fe es la ocasión, no la causa. Es el medio por el cual la justificación es recibida y acogida por el pecador[14]. Es como la mano que usamos para tomar el agua de vida. Cuando el apóstol dice que Abraham "estuvo plenamente convencido de que lo que Dios había prometido poderoso era también para cumplirlo" (Ro 4:21), se debe entender que su fe (decisiva y de todo corazón) fue la ocasión y el medio para que la justicia fuera imputada en él[15].

A pesar de que la fe es sobrenatural, dentro de nosotros no hay esperanza porque todos estamos condenados bajo pecado (Ro 3:8-9, 10, 23). Pero Dios nos ha "justificado gratuitamente por Su gracia mediante la redención en Cristo Jesús" (Ro 3:24). Lo glorioso de esta verdad es que garantiza que no hay hombre tan pecador que tenga tanto pecado que la sangre de Cristo no pueda perdonar, y nos humilla haciéndonos entender que no hay oportunidad para que nos gloriemos de nosotros mismos, porque la justificación no proviene de nosotros, sino que es un regalo de la libre gracia de Dios (Ef 2:8-9; Ro 3:27). Dios nos libre de cualquier enseñanza que le conceda al hombre oportunidad para gloriarse (Ro 4:14-15; Sal 115:1).

¿A quiénes justifica Dios? Definitivamente no a los buenos. La Biblia describe a quienes Dios ha justificado desde tres distintas perspectivas. Desde la perspectiva de Dios, los justificados son los elegidos (Ro 8:31-34). Desde la perspectiva de aquellos en quienes el Espíritu obra, son los que creen (Ro 3:21-23; 4:3). Desde la perspectiva de la calidad moral de los creyentes, son los impíos (Ro 4:5)[16]. Los que creemos somos llamados bienaventurados porque todos nuestros pecados han sido perdonados para siempre (Ro 4:7-8)[17], y no solamente hemos sido declarados inocentes[18], sino justos.

En conclusión, la obediencia alcanzada por el mejor de los hombres queda infinitamente corta ante la justicia de Dios (Gá 3:10)[19]. No es por obras, es por gracia (Ef 3:8-9). Somos justificados a través de la perfecta obra de Cristo, que alcanzó a nuestro favor la justicia de nuestra justificación. La justicia de la obediencia de Cristo en Su vida y Su muerte ha venido a ser nuestra justicia. ¿Cómo es logrado esto? Es logrado por medio de la imputación. Dios pone a la cuenta nuestra la justicia de Cristo y, a Su vez, pone a cuenta de Cristo nuestros pecados, logrando así que seamos "justicia de Dios en Él" (2Co 5:21).

Notas del capítulo 16

1. Comentarios de Martín Lutero al Salmo 130:4 en *Die Promotions-disputation Von Palladius und Tilemann*, WA 39/1, 205; en Eberhard Jungel, *Justification: The Heart of the Christian Faith*, trad. de Jeffrey Cayzer, 2da ed (London: T&T Clark, 2006), 18.

2. Tomando como ejemplo la carta de Romanos, la justificación es (1) parte de su tema central (Ro 1:16-18), (2) universal porque afecta a todos ser humano (Ro 1:18-3:20), (3) fundamento doctrinal del párrafo más importante (Ro 3:21-26), (4) vista en la vida de los patriarcas (Ro 4), (5) la obra del medio divino para las bendiciones espirituales (Ro 5), (6) lo que la ley no alcanzó (Ro 6 – 7), (7) lo que resalta la gloria de Dios en Cristo (Ro 8), (8) la deficiencia de Israel (Ro 9 – 11) y (9) el fundamento a las aplicaciones prácticas del evangelio (Ro 12 – 16).

3. La justificación define al hombre que está en paz con Dios (Ro 5:1) como aquello necesario para presentarse ante Dios en el juicio final (Ro 2:5), como aquello que muestra la fe que Dios le pide al hombre (2Ts 2:11-14), como aquello esencial para definir el evangelio (Ro 1:16-17; 3:21-26) y como concepto evangélico que afecta la vida diaria de piedad (Hch 17:24-25).

4. Otros pasajes donde justificar no significa declarar sino demostrar son Lucas 10:29 y Mateo 11:19.

5. Por ejemplo, la iglesia católica enseña que en la justificación "Dios nos hace interiormente justos por el poder de Su misericordia". La enseñanza católica determina la infusión de santidad o justicia, después que el pecador le ha sido removido el pecado en el bautismo. (Catecismo de la Iglesia Católica, Artículo 2: Gracia y Justificación, http://www.vatican.va/archive/catechism_sp/index_sp.html, extraído el 17 de Diciembre del 2015).

6. El lenguaje es enfático en cuanto a que la justificación es "en Él", esto es, unidos a Cristo. "En Él" aparece en 2 Corintios 5:21; Filipenses 3:9; 1 Corintios 1:30; y "justificados en Cristo", en Gálatas 2:17.

7. El texto es claro. Es una justicia que no es "mi propia justicia" (LBLA, NVI, RV60 – μὴ ἔχων ἐμὴν δικαιοσύνην), sino que "procede de Dios" (LBLA, NVI; "la justicia que es de Dios" RV60 – τὴν ἐκ θεοῦ δικαιοσύνην), y está unida a Cristo, porque el anhelo es ser hallado "en Él [Cristo] (ἐν αὐτῷ)" (LBLA, RV60), "unido a Él" (NVI).

8. Entre los principales teólogos asociados están Stendahl, Sanders, Dunn y Wright. Este último ha venido a ser el teólogo más reconocido entre aquellos que enseñan este punto de vista. Es importante señalar que la *nueva perspectiva* no se aleja tanto del centro como la enseñanza católica. Por ejemplo, Thomas

Schreiner señala: "Wright correctamente enfatiza que la justificación es una realidad forense, esto es, que tiene que ver con la corte legal. Por tanto, él rechaza la idea de que la justificación transforma" (Thomas Schreiner, *N.T. Wright Under Review: Revisiting the Apostle Paul & His Doctrine of Justification*, pp. 51-52, vol. 4, Credo Magazine: January, 2014).

9. Stephen Westerholm, *Justification Reconsidered: Rethinking A Pauline Theme* (Grand Rapids: Eedermans Publishing), 2013, 26. Para más detalles véase James D.G. Dunn, *The Theology of Paul The Apostle*, (Grand Rapids: Eerdmans, 1998), 55. N.T. Wright, *What Paul Really Said* (Oxford: Lion Publishing plc., 1997), 160.

10. Para leer más sobre el tema véase John Piper, *Counted Righteous*. Stephen Westerholm, *Justification Reconsidered: Rethinking A Pauline Theme*. Thomas Schreiner, *N.T. Wright Under Review: Revisiting the Apostle Paul & His Doctrine of Justification*, vol. 4, Issue 1, Credo Magazine: January 2014, entre otros.

11. Al final del verso 5 dice "su fe se le cuenta por justicia". El verso 6 explica esa frase usando el ejemplo de David diciendo: "Dios atribuye justicia aparte de las obras", y finalmente vuelve al ejemplo de Abraham en el verso 10 y 11: "¿Cómo le fue contada? [...] a los que creen [...] la justicia también a ellos les fuera imputada" (Ro 4:5-6, 10-11). John Piper comenta que la palabra "contado" usada en ambos textos (Gn 15:6; Ro 4:3), tanto en hebreo como en griego, conlleva la idea de "imputar" o "acreditar". En este caso lo que se imputa o acredita no es una obra que se cuenta como justicia, sino que se trata de una justicia a manera de don o regalo (John Piper, *Counted Righteous* [Wheaton: Crossway Books, 2002], 53-61).

12. Algunos académicos de la *nueva perspectiva* tales como Gundry proponen que Dios cuenta nuestra fe como justicia (Robert H. Gundry, "Why I Didn't Endorse 'The Gospel of Jesus Christ: An Evangelical Celebration'... Even Though I Wasn't Asked to", vol. 7; en *Books and Culture, January/February*, 2001, 6-9). Pero ¿cómo es posible que Dios impute como justicia algo que ya el creyente tiene, dígase, su fe? En Romanos 4 y Filipenses 3:8-9 el escritor claramente está describiendo aquello que es contado a nosotros como algo externo (Piper, *Counted Righteous*, 56).

13. En el texto original encontramos dos preposiciones que al español son traducidas con la palabra "por". Las preposiciones son: ἐκ (*ek*, por ejemplo en Romanos 5:1) y διά (*diá*, con el genitivo, por ejemplo en Romanos 3:22) que significan "por medio de", y no "por causa de" (Thayer's Greek Lexicon, entrada G1537 y G1223 respectivamente).

14. Joel Beeke, *Justification by Faith Alone: The Relation of Faith to Justification* (Morgan: Soli Deo Gloria, 1995), 60.
15. James Packer, *Evangelical Dictionary of Theology*, 2da ed., ed. por Walter A. Elwell (Grand Rapids: Baker Books, 2001), 646.
16. Véase Romanos 3:7-9, 20; 5:6, 1 Timoteo 1:15, Lucas 18:10-14.
17. Véase también Hechos 10:43, Salmos 103:3, Isaías 1:18, Jeremías 31:34, Romanos 8:34.
18. Ser inocente solamente indica que no hay culpa, pero el concepto bíblico es más completo porque habla de condenación para los injustos y salvación para los justos. Así que a la cuenta de la justicia de Cristo somos recibidos por el Padre como justos (Ro 3:22; 4:5-6, 11, 22, 25; 5:19; Fil 3:9, 2Co 5:18-21).
19. Véase también Santiago 2:8-11; 3:9-11; 1 Juan 1:8; Gálatas 2:16.

17

La adopción

Ser hijo de Dios es la más grandiosa bendición que puede recibir y experimentar un ser humano. Gracias al glorioso sacrificio de Cristo, Dios Padre ha bendecido con toda bendición espiritual, siendo la mayor de estas bendiciones el enorme privilegio de ser Sus hijos (Ef 1:3-6). Hemos sido adoptados en la familia de Dios por medio de la obra redentora de Cristo.

Hay un cambio en el estado legal cuando Dios nos adopta. Pasamos de esclavos a hijos. Esta bendición fue comprada en la cruz, toma lugar por medio de la fe en el momento de la unión con Cristo y será completamente revelada en la resurrección final. Esa realidad es sellada por medio del suministro del Espíritu de Dios en nuestros corazones, de manera que nuestro espíritu experimenta una relación filial con Dios: Le escuchamos decir: "Tú eres mi hijo" y nosotros clamamos: "¡Papá!" (Ro 8:16 TLA).

Hijos de Dios

¿No somos todos hijos de Dios? Sí y no. Cuando hacemos un análisis completo de todo el texto divino, encontramos que hay por lo menos tres grandes divisiones en cuanto al uso del término "hijo":

1. *Dios como Padre de todos por creación.* Dios es Padre y todos somos hijos en el sentido de que Dios es el creador y nosotros creados a Su imagen. En ese sentido, algunos pasajes hacen referencia explícita a que todos los hombres somos hijos de Dios. Por ejemplo, en Génesis el escritor dice que Adán fue creado "a semejanza de Dios", y luego dice que Adán "engendró un hijo a su semejanza" (Gn 5:1-3)[1]. Tomando del mismo concepto Malaquías 2:10 dice: "¿No tenemos todos un mismo padre? ¿No nos ha creado un mismo Dios?". También en su discurso a los filósofos en Atenas, el apóstol Pablo extiende el mismo concepto a todos diciendo: "'Nosotros somos linaje suyo. Siendo, pues, linaje de Dios, no debemos pensar que la naturaleza divina sea semejante a oro, plata o piedra, esculpidos por el arte y el pensamiento humano" (Hch 17:29).

2. *Dios como Padre del Israel étnico.* Por elección divina Dios llamó a Abraham de Ur de los Caldeos y destinó una descendencia especial en Israel (Ro 9:6-13). El Señor dijo: "Israel es Mi hijo, Mi primogénito" (Éx 4:22). En Israel se unen ambos conceptos, pues son hijos por creación e hijos por elección y obra divina. Esto lo vemos en las palabras de Moisés cuando reprendió al pueblo: "¿No es Él tu padre que te compró? Él te hizo y te estableció" (Dt 32:6). Pero ser israelita nunca fue equivalente a tener verdadera fe[2] en el Mesías prometido (Cristo)[3]. A pesar de haber recibido "los pactos, la ley y las promesas", no todos los israelitas son Israel (Ro 9:1-6). Muchos escucharon el evangelio y vieron las maravillas de Dios,

pero únicamente el remanente fue fiel (Ro 9:6-13, 27, 30-33; 10:1-4, 16-17)[4].

3. *Hijos de Dios adoptados en Cristo*[5]. Fundamentado en la perfecta obra redentora de Cristo, somos "hijos de Dios mediante la fe en Cristo" (Gá 3:26). Los que reciben a Cristo y creen en Su nombre Dios les da "potestad de ser hechos hijos de Dios" (Jn 1:11-13 RV60).

Hijos adoptados

La adopción tiene ciertas similitudes con la justificación porque es algo que se decide fuera de nosotros y es por medio de la fe, pero va un paso más allá. La adopción nos introduce a la relación padre-hijo con Dios. Es como si a un criminal preparado para ser ejecutado el juez no solo le otorga el perdón, sino que luego también lo invita a su casa, por certificación legal le cambia el nombre y, por si fuera poco, le hace su hijo y heredero de todo[6]. Los creyentes son adoptados y legalmente se les concede en la corte divina el lugar y la condición de hijos, a pesar de que esta condición no les pertenece de forma natural.

Los pasajes más relevantes sobre el tema son Romanos 8, Gálatas 4 y Efesios 1. Efesios dice que la adopción es una bendición espiritual en Cristo que está íntimamente relacionada con la elección y la predestinación. En ese contexto, explica la razón y el propósito principal[7] de la adopción. ¿Por qué Dios eligió? Por "el puro afecto de su voluntad"[8] desde "antes de la fundación del mundo" (Ef 1:4-5). ¿Para qué eligió? "Para la alabanza de la gloria de Su gracia [...] y de Su gloria" (Ef 1:6, 12, 14).

El pasaje de Gálatas se centra más en el tema de la adopción dentro del contexto de la historia de la redención y la venida del Hijo (Cristo) al mundo. El autor resalta que a todos los que antes vivieron se les promulgó la ley como un tutor hasta el día cuando, según la promesa, viniera Cristo (Gá 3:14-29). Cuando vino la plenitud del tiempo, Dios envió a Su Hijo "a fin de que redimiera a los que estaban bajo la ley, para que recibiéramos la adopción de hijos" (Gá 4:5). Por tanto, en Cristo ya no somos siervos, sino hijos; y si hijos, también herederos (Gá 4:7).

¿Cuál es la diferencia entre un siervo (en palabras de Pablo en Gálatas) y un hijo? Gran parte de la respuesta se encuentra en Romanos 8. El siervo es aquel que no es de Cristo, sigue bajo el dominio del pecado y de la muerte y anda conforme a la carne (Ro 8:1-8). Por esa razón, el siervo no tiene cómo relacionarse con Dios, excepto en condenación, espíritu de esclavitud y de temor (Ro 8:1, 15). Pero gracias a la muerte y resurrección de Jesús, a todos los que creemos, el mismo Espíritu de Aquel que resucitó a Jesús de entre los muertos habita en nosotros (Ro 8:11)[9], y se ha comprometido a resucitarnos en el día final (Ro 8:19-25).

Mientras llega ese día, el Espíritu que mora en nosotros nos guía poniendo nuestras mentes en las cosas del Espíritu (Ro 8:5-8), aviva en nuestros corazones la esperanza de que seremos resucitados y viviremos con Cristo (Ro 8:10-11, 13), nos vivifica para hacer morir las obras de la carne (Ro 8:13), nos guía a Dios y nos permite sentirlo como nuestro mas íntimo Padre (Ro 8:13-16), y en los sufrimientos nos moldea a la semejanza de nuestro hermano mayor, Jesucristo (Ro 8:17, 29).

Si somos de Cristo, en este mundo también sufriremos como Él sufrió, pero no estaremos solos. El Espíritu que Dios ha hecho morar nos tomará de la mano, nos guiará a la verdad y abrirá nuestros ojos a la gloria de Dios. Gracias al Espíritu podemos ver la eternidad incluso en medio del sufrimiento. Allí, quebrantados por las aflicciones de este mundo, diremos tal y como dijo el apóstol Pablo: "Considero que los sufrimientos de este tiempo presente no son dignos de ser comparados con la gloria que ha de ser revelada" (Ro 8:18).

Notas del capítulo 17

1. Hay una similitud entre la ilustración de los primeros padres y sus hijos y aquella entre Dios y Adán. El texto presenta a Dios en el oficio de padre que le ha dado nombre a Adán como hijo suyo. Se nota aún más el oficio patriarcal en la conexión de que Adán fue creado a semejanza de Dios y Set fue engendrado a semejanza de Adán. Dios es el Padre de todos. Dios es mostrado como el Padre de toda la humanidad y al mismo tiempo es presentado en la narrativa como Padre especial del linaje de Abraham y de su descendencia (John Sailhamer, *The Pentateuch as Narrative: A Biblical Theological Commentary* [Grand Rapids: Zondervan, 1992], 116-118).

2. El capítulo 11 de Hebreos presenta la fe como el elemento distintivo espiritual y tenemos a Abraham como ejemplo de que el objeto de su fe era Cristo. De Abraham la palabra dice: "Creyó y le fue contado por justicia" (Gn 15:6; Ro 4:3). ¿Cuál era el objeto de su fe? Jesús abundó al respecto: "Abraham se regocijó esperando ver mi día; y lo vio y se alegró" (Jn 8:56; Gá 3:15-16). Abraham vio el tiempo de la venida de Jesús y esa fue la razón de su alegría. Abraham previó la venida de Cristo (Barclay M. Newman & Eugene A. Nida, *A Translator's Handbook on the Gospel of John* [New York: United Bible Societies, 1980], 294).

3. La palabra *Mesías* viene del hebreo y *Cristo* del griego. Ambas se refieren a Aquel que habría de venir, esto es, a Jesucristo.

4. Véase también Éxodo 32:22; 34:9, Deuteronomio 29:2-4, Isaías 53:1, Juan 1:11-12, Hebreos 3:16-18 y 1 Corintios 10:1-6.

5. En Cristo se agrega un tercer concepto para el Israel étnico, porque es hijo de Dios por creación, hijo de Dios en la descendencia de Jacob e hijos adoptados y herederos en el reino de Cristo. Los gentiles también son injertados y sumados en la "ciudadanía de Israel" (Ef 2:12; ver Ro 2:28-29; Gá 3:26-29; 6:16; Ro 11:25-26).

6. Robert S. Candlish, *The Fatherhood of God* (Edinburgh: Adam & Charles Black, 1865), 39-40.

7. El texto presenta que Dios nos ha bendecido, según nos escogió en Cristo, con al menos tres propósitos: (1) para que fuéramos sin mancha delante de Él (Ef. 1:4); (2) para adopción como hijos (Ef. 1:5); (3) para alabanza de la gloria de Su gracia (Ef. 1:6). El mayor es el tercero. Este es el resultado final de la salvación de Dios en Cristo: Su pueblo le alabará (Robert G. Bratcher & Eugene A. Nida, *Ephesians: A Translator's Handbook on Paul's letter to the Ephesians* [New York: United Bible Societes, 1982], 15-16).

8. Es digno de especial consideración de que la elección no estuvo condicionada a los méritos vistos de antemano, ni siquiera a una fe vista de antemano. ¡La elección es la raíz de la salvación y no su fruto! (William Hendrickson, *Comentario al Nuevo Testamento: Efesios*, trad. de Alejandro Aracena [Grand Rapids: Libros Desafío, 1984], 83).

9. Cabe señalar que la morada del Espíritu relacionada con la adopción es distinta a la obra del Espíritu en el nuevo nacimiento. En el nuevo nacimiento la obra del Espíritu es anterior a la fe (Jn 3:1-8; 1:11-13) y en la adopción es posterior a ella (Ef 1:13), no en orden cronológico, sino en orden de causa y efecto. En el caso del don del Espíritu también es distinto, porque aunque es parte de la misma acción del Espíritu de adopción que mora después de que la persona cree, es distinto a partir de Pentecostés. Es cierto que el Espíritu hacía morada antes de Pentecostés (Ro 8:9; Gá 3:2, 5-7, 14; 2P 1:10-11; Nm 14:24; 27:18), pero a partir de ese suceso, siendo investidos por el Espíritu de Cristo resucitado (Jn 7:37-39; 20:21-23; Hch 2:32-33), la morada ahora viene acompañada con un poder prometido especial para la expansión y la edificación de la iglesia (Lc 24:45-49; Hch 1:6-8; 2:1-4, 11; 4:8; 6:5-10; 9:17-22; 11:22-24; 1Co 12—14).

18

La santificación

La santificación es el proceso espiritual de madurez que, gracias a la cruz, el Espíritu Santo aplica en nosotros por medio de la fe hasta que lleguemos a ser tan santos como Cristo. Pero ¿qué significa santidad? Es un término complejo porque es abstracto y en ocasiones no es explicado en su totalidad. A veces la santidad se define como la cualidad de ser separado o apartado[1]. Pero, ¿qué sentido tiene definir a Dios como alguien separado? Sencillo: no tiene sentido; no aplica a Dios[2]. ¿Entonces cómo aplica a nuestras obras? De manera incompleta, porque ¿de qué sirve una acción de separación si no involucra al corazón? (Mt 15:8; Is 29:13)[3]. El uso bíblico de la palabra incluye la separación del pecado, pero exclusivamente como efecto o resultado de la santidad, y no como causa o razón de ella (1Ts 4:3-7)[4].

La santidad, en su significado más básico, no es separación, sino más bien lo contrario: es *ser consagrado a* o *devoto a* Dios[5]. En cuanto a Dios esto significa que Dios es Dios, que Él es único y no hay otro como Él, y que Él es completamente devoto a Su gloria (Éx 3:14; 1Sa 2:2; Is 40:25)[6]. En

Cristo, si hemos de conocer, agradar y ver a Dios, debemos previamente ser santificados (Heb 12:14). Esa santidad es lograda en la cruz donde Cristo nos santificó, nos consagró para Dios (1Co 1:2). Nosotros crecemos en santidad cuanto más en nuestras vidas honramos y reconocemos la supremacía de Dios, acercándonos con una actitud de total rendición para encontrar plena satisfacción en Él[7]. En la santificación somos cada vez más alineados en nuestros sentimientos y pensamientos a la realidad del infinito valor de Dios[8].

Posicional, progresiva y final

En cuanto a la presentación de la santificación en el texto bíblico, la santificación del creyente es *posicional, progresiva* y *final*. La santificación es considerada posicional en esos textos que determinan la santificación como una acción ya completada[9]. Los creyentes ya "han sido santificados en Cristo" (1Co 1:2; 6:11; Heb 10:10). Esto es, que habiendo sido justificados en Cristo, el Padre nos recibe y califica tal como comúnmente los creyentes eran llamados por el apóstol Pablo: "santos" (Fil 1:1; Col 1:2; Ro 1:7).

La santificación progresiva tiene sus raíces en la posicional, esto es, que aquella realidad espiritual ya lograda en la cruz se va manifestando progresivamente en los hijos de Dios (Heb 12:10). Aquellos una vez santificados ante Dios, crecerán en santidad en el transcurso de sus vidas hasta el día que estén con Cristo. Por eso señaló el apóstol: "El mismo Dios de paz les santifique por completo" (1Ts 5:23). "El que comenzó en ustedes la buena obra, la perfeccionará hasta el día de Cristo Jesús" (Fil 1:6). Jesús oró: "Santifícalos en la verdad; Tu palabra es verdad" (Jn 17:17). En ese sentido, la mayor parte de las ordenanzas de la vida del creyente son dadas a favor de su crecimiento y madurez[10]. Dios les dice que le den muerte al pecado por medio del Espíritu (Ro 8:12-14) y que se purifiquen más y más con la esperanza puesta en Cristo (1Jn 3:3; 1Ts 4:1).

La santificación final enseña que seremos íntegramente santificados en cuerpo y alma en el día postrero, en la resurrección final. Pero también, al concluir esta vida, enseña que seremos unidos en espíritu "a los espíritus de los justos hechos ya perfectos" (Heb 12:23)[11]. Para el creyente, "estar ausentes del cuerpo" significa "habitar con el Señor" (2Co 5:2-8).

La santificación como una evidencia

Nuestra santificación fue planificada por Dios desde antes de la fundación del mundo (Ef 1:3-4), fue el objetivo alcanzado por el Hijo (Tit 2:14; Ef 5:25-26) y es aplicada por el Espíritu Santo en la vida del creyente (1P 1:2; Ro 8:13). El Dios trino ha garantizado que seremos santos como Él es santo, pero mientras tanto en esta vida no hay perfección.

La santificación es un proceso. Es como la luz de la aurora que va en aumento (Pro 4:18). La idea bíblica de este proceso es como una semilla que inicia una expansión, crece y da frutos. O un leal soldado que está luchando a muerte contra el enemigo (Heb 12:4; 1Ti 6:12). O uno que en su mente está deleitándose en Dios y dando muerte al pecado (Ro 8:5-8, 12-14), no adaptándose a este mundo, sino transformando y renovando su mente por medio de la adoración (Ro 12:2). O uno que está desechando la basura y limpiándose de la corrupción (Col 3:5, 8; 2Co 7:1). O un recién nacido que va creciendo en tamaño y madurando gracias a los alimentos que come (1P 2:1-2).

La santificación evidencia que somos de Cristo y que el Espíritu Santo está obrando en nuestras vidas. Todo el que está sin Cristo se deja llevar por la corriente de este mundo. Se puede ver en sus prioridades y convicciones: vive sin Dios, sin rumbo y sin esperanza (Ef 2:1-3, 11-12;

1Jn 2:15). Pero el que está en Cristo es una nueva creación, una luz que acaba de nacer que va expulsando las tinieblas. Ese abandono de lo viejo y esa búsqueda de lo nuevo en un creciente amor por Cristo es la evidencia más clara, contundente y esperanzadora de que el Espíritu mora en nuestras vidas y de que somos hijos de Dios. Por tanto, ¡somos herederos de la gloria divina juntamente con Cristo! (Ro 8:13-17).

Los medios: creciendo en santidad

¿Cómo hemos de crecer en santidad? Así como un niño se alimenta y crece, así también el creyente se alimenta y madura. La gracia de Dios es el alimento del creyente y Dios ha dejado medios para alimentarnos de esa gracia. A eso se refería el apóstol Pablo cuando encomendó a los hermanos en Mileto con "la palabra de Su gracia, que es poderosa para edificarlos a ustedes" (Hch 20:32).

Los medios de gracia son instrumentos que Dios ha dejado para que los creyentes se apropien de la gracia o situaciones específicas en las que Dios ha prometido dar esa divina gracia que está disponible para ellos en todo momento[12]. A continuación detallo algunos de estos medios, sin antes olvidar que los tales no son un simple ejercicio externo o de la fuerza de voluntad, sino que nos conectan a la gracia con la que son ejecutados por medio de la fe en el evangelio de Cristo[13]:

> » Leer y meditar en la Palabra (Sal 19:7-11; Jn 17:17; Hch 20:32).
> » Orar (Lc 11:13; Mt 6:8).
> » Ayudar a los pobres y a las viudas (Pro 19:17; Stg 1:27).
> » Cantar alabanzas (Ef 5:18b-19; Stg 5:13; Col 3:16).
> » Predicar el evangelio (Ro 10:14-15; 2Ti 4:1-8).
> » Soportar las aflicciones (2Co 4:17-18; Sal 119:71; Heb 12:10).

> » Congregarse con el cuerpo de creyentes (Ef 4:11-16; Heb 10:24-25; Sal 133:1).
> » Participar de la Santa Cena (Lc 22:17-18; 1Co 11:25; 10:16).
> » Celebrar el bautismo (1Co 10:16; Hch 19:3-6; 22:16)
> » Ayunar (Est 4:16; Jl 2:12; Mt 9:16; 17:21)

Notas del capítulo 18

1. Esta definición académica fue desarrollada inicialmente por Baudissin en 1878 que, basado en la raíz de la palabra hebrea, propuso la definición como: "apartado" (W. Baudissin, *Der Begriff der Heiligkeit im Alten Testament*, Studien zu semitischen Religionsgeschichte, vol. 2 [Grunow, Leipzig, 1878], 1-142). Tal definición fue incompleta, porque no tomó en cuenta el uso de la palabra, sino que el significado fue determinado solamente por la etimología, y en cuanto a esta palabra la etimología es completamente especulativa (Otto Procksch, "ἅγιος", TDNT).

2. No aplica a Dios porque ¿cómo separaremos a Dios para que sea santo? La santidad tiene valor porque Dios es santo (1P 1:15-16) y no necesita apartarse para encontrar significado, ni es necesaria la existencia del pecado para definir Su santidad. Aún más, el uso de la palabra en su contexto no apoya esa conclusión. Para más detalles de lo que significa *santo*, véase Peter Gentry, *Sizemore Lectures Part II: No One Holy like the Lord*, vol. 12.1 (Midwestern Journal of Theology, 2013), 24, 33, 37.

3. A eso se refería John Owen cuando dijo: "La santidad no puede ser alcanzada sin el ejercicio de la fe" (John Owen, *The Holy Spirit*, The Works of John Owen, vol. 3, ed. William H. Goold [Carisle: The Banner of Truth Trust, 1965], 206).

4. En el sentido bíblico, la pureza moral es un fruto de ser santo o consagrado a Dios, y no es la definición de la palabra. El texto citado (1Ts 4:3-5) describe que la conducta pecaminosa es como la de aquellos que "no conocen a Dios", en contraste con aquellos que lo conocen. En otras palabras, la impureza moral no nace de aquellos que hacen la voluntad de Dios, y por tanto son llamados a apartarse. Otro ejemplo es Éxodo 19. Gentry resalta que el monte Sinaí fue delimitado como lugar prohibido como resultado de que había sido consagrado. La prohibición no es equivalente a la consagración (Peter Gentry, *No One Holy like the Lord*, 24, 33, 37).

5. Este es su significado básico en el texto original hebreo (Otto Procksch, "ἅγιος", TDNT), así como en griego (H. Liddell, R. Scout, y H. S. Jones, *A Greek-English Lexicon*, 9na ed., [Oxford: Oxford University Press, 1996]).

6. La santidad de Dios se resume en la consideracion apropiada y el amor por Sí mismo, siendo Él infinitamente el más grandioso y excelente ser (Jonathan Edwards, *The Miscellanies*, The Works of Jonathan Edwards, vol. 20, [New Haven: Yale University Press, 2002], §833-1152, 460).

7. Peter Gentry y Stephen Wellum, *Kingdom through Covenant: A Biblical-Theological Understanding of the Covenants* (Wheaton: Crossway, 2012), 324-325.

8. John Piper, *Prelude to Acting the Miracle: Putting Sanctification in Its Place*, Consultado el 28 de Enero de 2015. URL: http://www.desiringgod.org/conference-messages/prelude-to-acting-the-miracle-putting-sanctification-in-its-place. Es interesante observar que Piper mantiene alguna conexión entre la santidad y la "separación", pero él mismo también se da cuenta de lo poco apropiado que es la conexión y dice: "Esta es la santidad de Dios: Su perfección trascendental y Su autosuficiencia [...] La santidad no es solo el carácter separado de Dios".

9. La santificación posicional se parece un poco a la justificación, pero en la justificación el pecador es declarado justo, mientras que en la santificación posicional el pecador justificado es considerado como uno que ha sido consagrado para Dios.

10. La manera que se presenta en 1 Pedro 2:1-3 se nota que los creyentes inmaduros o "recién nacidos" necesitan crecer para salvación, si es que realmente son hijos de Dios. La segunda carta también habla de crecer en la gracia (2P 3:18).

11. La palabra "espíritus" probablemente se refiere a los espíritus separados del cuerpo esperando la resurrección final. Aquellos "hechos ya perfectos" por medio de la expiación de Cristo (David L. Allen, Hebrews, NAC, vol. 35 [Nashville: B & H Publishing Group, 2010], 590).

12. En este punto la doctrina católica difiere significativamente porque enseña que la iglesia visible es quien administra la gracia como vicario de Cristo en su oficio sacerdotal: "La iglesia, la iglesia visible sustentada por el Espíritu, es el real, auténtico y perfecto medio de gracia, el sacramento por excelencia. En ella [la iglesia visible] Cristo continúa Su divina vida humana en la tierra, completa Su oficio profético real (de la realeza) y, sobre todo, Su oficio sacerdotal" (J. Oswald, *Die dogmatische Lehre von den heiligen Sakramenten der katholishen Kirche*, vol. 2, 2da ed., [Münster: Aschendorff, 1864], 9; en Herman Bavinck, *Reformed Dogmatics*, Holy Spirit, Church and New Creation, vol. 4, ed. John Bolt, trad. de John Vriend [Grand Rapids: Baker Academic, 2008], 443).

13. Owen advirtió de una falsa santidad diciendo: "No debemos ser engañados por la falsa santidad. La santidad no es exclusivamente una vida reformada [reformada en el sentido de una vida cambiada externamente], sino una vida cambiada por el evangelio" (John Owen, *The Holy Spirit*, 198).

19

La preservación y la perseverancia

H emos sido llamados a confiar eternamente en la obra de Cristo estando convencidos de "que el que comenzó en nosotros la buena obra, la perfeccionará hasta el día de Cristo Jesús" (Fil 1:3-5). La encomienda evangélica es que Dios Padre ha garantizado por medio del Espíritu preservar a todo aquel que le pertenece en Cristo por medio de un infalible diseño. En otras palabras, el creyente perseverará hasta al final gracias a Dios (Mt 24:13)[1].

La concurrencia

Dios preserva a los suyos y los suyos perseveran. A eso comúnmente los teólogos lo llaman "la *concurrencia*": Dios es la causa fundamental de todo, y al mismo tiempo Él habilita a sus criaturas a funcionar como segunda causa (1Co 12:6)[2]. En otras palabras, el fundamento es la gracia de Dios, la cual obra preservando a los suyos. La máxima causa está en Dios que obra. Por tanto, si somos protegidos por Dios, entonces llegaremos a salvo. Al mismo tiempo Dios nos ordena a permanecer y, si hemos de estar con Él en gloria, será porque habremos perseverado firmes hasta el fin (2Ts 3:3)[3]. El texto que más explícitamente presenta la simultaneidad de la actividad divina y humana es el siguiente:

> Así que, amados míos, tal como siempre han obedecido, no solo en mi presencia, sino ahora mucho más en mi ausencia, ocúpense en su salvación con temor y temblor; porque Dios es quien obra en ustedes tanto el querer como el hacer, para su beneplácito [buena intención].
>
> Filipenses 2:12-13

Bockmuehl comenta:

> En el griego, el verso 13 empieza enfáticamente con Dios. Esto claramente enfatiza Su agencia y no la nuestra. Es el poder de Dios que 'energiza'[4] a la ciudadanía cristiana a ocuparse de su salvación. En sentido teológico, la relación entre la obra de Dios y su demanda moral muestra que tanto la libre voluntad y la responsabilidad del individuo son completamente compatibles con la soberana voluntad de Dios[5].

¿Cuál es el mandamiento divino? Que los creyentes se "ocupen en su salvación con temor y temblor". ¿Por qué han de ocuparse apasionadamente en perseverar en su salvación? "Porque Dios es quien obra tanto el querer como el hacer". ¿Quién es el que persevera? El creyente. ¿Quién es el que eficazmente garantiza la preservación? Dios. Gracias a la obra de Cristo en la cruz, el creyente persevera seguro y esperanzado en Dios que poderosamente lo preservará.

Seguridad de salvación

Esta seguridad del creyente y la esperanza van de la mano. La esperanza es real porque Cristo es real, y Él es la fuente de nuestra seguridad. Cristo nos anima a seguir adelante, a soportar las aflicciones y a luchar contra la carne que es contraria a Dios. Gracias al fundamento de las promesas divinas de salvación compradas por Cristo, el creyente puede estar seguro de su justificación ante Dios y del amor del Padre. Porque ¿quién es el que condena y justifica? Es Dios. Por tanto, gracias a que somos justificados en Cristo el creyente puede estar convencido de que nada ni nadie lo podrá separar del amor de Dios (Ro 8:37-39). Puede tener un conocimiento seguro y una convicción presente de su relación con Dios: de que fue, es y será salvado, que es de Cristo y que en Él su elección eterna, estado de gracia, vida y preservación están confirmadas (Ro 5:9-10).

El esfuerzo del creyente es de constante y arduo trabajo, pero no se puede perder de vista que el esfuerzo no es el enfoque. La mirada debe estar siempre puesta en Cristo y en Su obra redentora porque solamente mirando a Dios podemos estar seguros (Sal 27:13; 1P 1:21). Él fue quien dijo: "Jamás perecerán, y nadie las arrebatará de Mi mano" (Jn 10:28). Esta seguridad se sostiene por la gracia prometida del testimonio del Espíritu de adopción, el cual testifica a nuestro espíritu de que somos hijos de Dios (Ro 8:15-16; 15:13-14).

Por tanto, hay una estrecha relación entre la seguridad y la santificación, entre una firme esperanza y el perseverar del creyente. Mientras más descansamos en Cristo, más seremos fortalecidos a permanecer, y aquellos que maduran en su camino son los que más han crecido en santidad (Hch 24:15-16[6]; 2P 1:10-11). La puerta para perseverar en santidad es la esperanza (2Co 4:16-18) y la esperanza se encuentra exclusivamente en Cristo (1Ti 1:1)[7].

El gran dilema: ¿salvo siempre salvo?

Entonces, ¿qué pasa con aquellos que se convirtieron y luego cayeron? ¿Es cierto lo que dicen algunos: "salvo siempre salvo"? Sí y no. Empecemos con el "no". Nunca encontraremos en la Biblia que el simple hecho de que alguien pase al frente, haga una oración de fe o sea miembro de una iglesia local acredite que su experiencia espiritual sea verdadera[8]. En cambio, una y otra vez la Biblia advierte del peligro para el que no persevera, pues no perseverar es una muestra de nunca haber nacido de nuevo. El apóstol Pablo señaló a Israel como ejemplo[9], porque "Dios no se agradó de la mayor parte de ellos [...] Por tanto, el que cree que está firme, tenga cuidado, no sea que caiga" (1Co 10:1-12; ver Heb 3:17; 2P 3:17). El apóstol Juan lo describe de esta manera:

> Salieron de nosotros, pero en realidad no eran de nosotros, porque si hubieran sido de nosotros, habrían permanecido con nosotros; pero salieron, a fin de que se manifestara que no todos son de nosotros[10].
>
> 1 Juan 2:19

Sin embargo, la causa máxima de que el creyente persevere hasta al final enfáticamente depende de Dios. Y si el creyente cae en grave pecado y por algún tiempo permanece en él, sin embargo, si es un verdadero creyente, por la gracia de Dios renovará su arrepentimiento y será preservado hasta el fin.

Aquellos que no son restaurados y no permanecen nunca fueron de Cristo. Nosotros que somos de Cristo, estando convencidos de esta certísima realidad, bendecimos a Dios que "nos ha hecho renacer a una esperanza viva [...] para obtener una herencia reservada en los cielos para nosotros" (1P 1:3-5). Mientras tanto, "en esta morada gemimos, anhelando ser vestidos en nuestra habitación celestial [...] El que nos preparó para esto mismo es Dios, quien nos dio el Espíritu como garantía" (2Co 5:2-8).

Notas del capítulo 19

1. Véase también Juan 8:31, Filipenses 2:12,13, Colosenses 1:23, Hebreos 3:14, 10:39, Judas 1:20.
2. Louis Berkhof, *Systematic Theology*, 4ta ed. (Grand Rapids: Eerdmans Publishing Co., 1996), 174.
3. Contrario al pensamiento de Pelagio (354-420 d.C.), la explicación bíblica es que Dios determina todas las cosas y al mismo tiempo no comparte moralidad en las acciones de los hombres, esto es, que él enfáticamente no es responsable, ni autor, ni causante del pecado (Gn 45:5; 50:19-20; Éx 10:1, 20; 2S 16:10-11; Is 10:5-7; Hch 2:23; 4:27-28; Ro 9:14-22). Al final, con asombrosa sabiduría, aun la maldad es usada por Dios para hacer el mayor bien (Gn 45:5; Ro 8:28-29; Heb 12:1-2).
4. La palabra ἐνεργέω (*energéo* – Strong's G1754) es usada dos veces en el verso 13. Traduce "obrar", "hacer". La idea es enfática y sirve como una doble certeza de que la causa fundamental y última es Dios mismo. Robertson comenta: "Dios es la *energía* y el *energizador* del universo. Dios lo hace todo, a pesar que al mismo tiempo nos pone a trabajar como parte esencial de su obra, aunque seamos secundarios (Robertson, *Word Pictures in the New Testament*, consultado en Logos Bible Software, §Filipenses 2:13).
5. Marcus Bockmuehl, *The Epistle to the Philippians, Black's New Testament Commentary* (London: A & C Black Ltd., 1997), 153.
6. Bruce comenta la resolución de Pablo en Hechos 24:15-16: "Con esta firme creencia [esperanza] en una resurrección futura, Pablo se propone constantemente mantener una conciencia limpia ante Dios y ante los seres humanos por igual" (F. Bruce, *Hechos de los Apóstoles*, Grand Rapids: Libros Desafío, 2007), 519.
7. Véase también Filipenses 1:20, Colosenses 1:27 y Efesios 2:12.
8. La perseverancia casi siempre se tergiversa en una "seguridad carnal". El lema: "Una vez salvo, siempre salvo", se predica en base a la así llamada experiencia de conversión, aunque nunca debe predicarse sino en base a la doctrina de la elección (Oliver Buswell, "Jesucristo y el plan de salvación", vol. 3, *Teología Sistemática* [Grand Rapids: Zondervan, 1962], 586).

9.   Tal como Hebreos 3:17 afirma, es posible empezar tu camino espiritual, ser
       bautizado, participar en los sacramentos de la iglesia y aun así no llegar al final.
       Aquí encontramos una advertencia sutil a los de Corinto: a que cuiden su mane-
       ra de vivir, como también un recordatorio para nosotros de que no es suficiente
       meramente participar en la vida cristiana o en la vida de la iglesia (Kenneth
       Scheneck, *1 & 2 Corinthians: A Commentary for Bible Students* [Indianapolis:
       Wesleyan Publishing House, 2006], 145).

10.   No eran verdaderos cristianos puesto que no pertenecían a su fuente original,
       a saber, Cristo. Durante cierto tiempo participaron en los cultos, pero nunca
       estuvieron en Cristo. Los creyentes permanecen; los que no se van (Simón
       Kistemaker, *Comentario al Nuevo Testamento: Exposición de Santiago y de las Epístolas de
       Juan* [Grand Rapids: Libros Desafío, 2001], 317).

20

La glorificación

La glorificación es la fase final, la culminación de todo el proceso de la redención aplicada[1]. Aquellos que fueron elegidos en Cristo, que fueron predestinados para vida eterna, que fueron llamados por Dios y que creyeron en Su nombre serán glorificados. Cuando Cristo vuelva de manera majestuosa en el día final, todos serán transformados y revestidos de gloria divina. Fue para esto que Él nos llamó mediante el evangelio, para que alcancemos la gloria de nuestro Señor Jesucristo (2Ts 2:14). Dios otorgará la gloria lograda a nuestro favor por la obra perfecta de Cristo y, en aquel día, seremos hechos completamente perfectos, santos y gloriosos para siempre.

El sufrimiento y la gloria

Si queremos apreciar la gloria futura, necesitamos entender la corrupción presente para que podamos decir como el apóstol: "Considero que los sufrimientos de este tiempo presente no son dignos de ser comparados con la gloria que ha de ser revelada" (Ro 8:18). Vivimos en un mundo de mucho sufrimiento y dolor, tragedias, enfermedades, calamidades y problemas sinnúmero para, al final, morir. Eso les pasa a todos sin excepción. Sufren grandes y pequeños, hombres y mujeres, ancianos y jóvenes, criminales y justos (Ec 7:15, 8:14)[2]. ¡Sufren hasta los recién nacidos y los bebes en el vientre!

¿Por qué hay tanto dolor? Porque a causa del pecado y la rebelión, la creación fue sometida a vanidad, y ella gime y sufre con dolores de parto (Ro 5:12; 8:20, 22). ¿Para qué? A fin de que así como una mujer con dolores de parto da a luz una hermosa y resplandeciente nueva vida, en el día final haya grandioso regocijo cuando sea manifestada la redención de los hijos de Dios en gloria eterna. ¿Qué debemos hacer en lo que llega ese día final? Debemos creer (Jn 11:40). Debemos comparar el presente sufrimiento con la gloria futura. Debemos orar, anhelar y aguardar la redención final del cuerpo, y aún más en medio del dolor (Hch 5:40-42).

El sufrimiento es el preludio de la gloria venidera del creyente, porque "si somos hijos, también herederos; herederos de Dios y coherederos con Cristo, si en verdad padecemos con Él a fin de que también seamos glorificados con Él" (Ro 8:17). El apóstol Pedro, que lo vivió en carne propia, lo describe de esta manera: "En la medida en que comparten los padecimientos de Cristo, regocíjense, para que también en la revelación de Su gloria se regocijen con gran alegría" (1P 4:13-15).

Resurrección y glorificación

Si no hay resurrección, no hay glorificación[3]. En la resurrección final "la trompeta sonará y los muertos resucitarán incorruptibles, y nosotros seremos transformados" (1Co 15:52). La unión entre la resurrección y la glorificación es indivisible porque Cristo resucitó y así también nosotros

(1Co 15:20)[4]. Ese futuro estado de perfecta gloria será investida a todos los creyentes que murieron y resucitaron juntamente con Cristo (Ef 2:5-6). En Romanos 8 el apóstol Pablo hasta lo describe como algo ya realizado: "a los que justificó, a esos también glorificó" (Ro 8:30). La experiencia de la gloria perfecta es futura, pero ya fue lograda por Cristo en la cruz, comunicada al creyente por el Espíritu y experimentada por Cristo mismo cuando resucitó de entre los muertos.

¿Cómo será esa gloria? El Señor Jesucristo "transformará el cuerpo de nuestro estado de humillación en conformidad al cuerpo de su gloria" (Fil 3:21) y seremos "partícipes de la naturaleza divina" (2P 1:4). No es que seremos dioses, sino que seremos transformados en "conformidad" a Su gloria. Su gloria será nuestra gloria en todo aquello que un humano creado a la imagen de Dios pueda tener sin ser divino[5]. Jesús lo describe de esta manera: "Los justos resplandecerán como el sol en el reino de su Padre" (Mt 13:43). ¿Has visto el sol? Nuestra gloria será infinitamente más brillante y más hermosa que el sol[6].

La gloria del cuerpo resucitado

¿No es suficiente un alma perfecta? ¿Para qué necesitaremos un cuerpo? El decreto divino detalla que la victoria final de la muerte no vendrá hasta que no suceda la final resurrección: "Cuando esto corruptible se haya vestido de incorrupción, y esto mortal se haya vestido de inmortalidad, entonces se cumplirá la palabra que está escrita: Devorada ha sido la muerte en victoria" (1Co 15:51). En otras palabras, mientras exista la muerte y no tengamos cuerpos glorificados, no se podrá experimentar completamente el gozo de Cristo diseñado para nosotros.

La gloria del cuerpo resucitado será el estado más excelso de todos. ¿Qué tanto? En Romanos 8 encontramos una pista. El verso 21 dice que "la creación misma será también liberada de la esclavitud de la corrupción a la libertad de la gloria de los hijos de Dios". No es que seremos adaptados a una nueva y perfecta creación, sino más bien que para alcanzar la máxima libertad, toda la creación será adaptada a la libertad de la gloria del cuerpo glorificado de los hijos de Dios[7]. En otras palabras, no solamente seremos libres de todo pecado, dolor y tristeza (Ap 21:4), sino que recibiremos nuevos ojos perfectos y toda la creación será adaptada para el máximo deleite de nuestra vista. Así será en cada detalle, con todas las cosas y todo el tiempo.

En resumidas cuentas, es cierto que cuando el creyente muere, se une a los santos en luz hechos, ya perfectos (Col 1:11; Heb 12:23), pero la gloria de ellos aún no está completa para disfrutar el más pleno gozo de Dios. Un día todos los santos serán glorificados con la gloria perfecta del cuerpo resucitado del Rey de Gloria.

Fiesta: gozo exuberante

La promesa divina no se satisface solo con eliminar la corrupción, sino que el Señor garantiza un gozo exuberante. En Tesalónica algunos estaban tristes y desesperanzados por la muerte de sus hermanos en Cristo, y fueron consolados con esta verdad: "Dios traerá con Él a los que durmieron [murieron] en Jesús" (1Ts 4:13-14). En otras palabras, a pesar que estaban tristes, no debían perder de vista que en poco tiempo los muertos en Cristo se levantarán y los que estemos vivos seremos arrebatados y así estaremos con el Señor siempre (1Ts 4:15-18; Col 3:4).

Por tanto, el supremo gozo no solo será en nuevo cuerpo y en una nueva creación, sino también en compañía de nuestros amados. Todos seremos glorificados para la supremacía del eterno gozo con el Señor (Jn 17:22-24). ¡Qué consolación! El profeta Isaías lo ilustró cuando profetizó: "He aquí, Yo [el Señor] creo cielos nuevos y una nueva tierra [...] ¡Gócense y regocíjense para siempre! [...] Me gozaré por Mi pueblo [...] ellos construirán casas y las habitarán, plantarán también viñas y comerán de su fruto" (Is 65:17-25).

Hoy nuestra santificación no es consecuente con nuestra futura glorificación, pero todo cambiará cuando seamos glorificados. Mientras llega ese día debemos esperar, "y todo el que tiene esta esperanza puesta en Él se purifica, así como Él es puro" (1Jn 3:3). Y debemos contemplar "como en un espejo la gloria del Señor, que nos transforma en la misma imagen de gloria en gloria" (2Co 3:18). Porque "aún no se ha manifestado lo que habremos de ser, pero sabemos que cuando Él se manifieste, seremos semejantes a Él, porque le veremos como Él es" (1Jn 3:2).

Notas del capítulo 20

1. John Murray, *El plan de salvación*, trad. de Humberto Casanova (Grand Rapids: Eerdmans Publishing Co., 2001), 169.

2. Una de las cosas que sabiamente presenta Eclesiastés es que el bien y el mal le suceden tanto a buenos como a malos, tanto a creyentes como a impíos. Este mundo no valora eso; solamente lo hace el homque teme a Dios y guarda Su palabra (Ec 12:13-14). Smith comenta que ambos pasajes eclesiásticos parecen mostrar la vida al revés según nosotros y la cultura judía, pues se tiene el pensamiento de que debemos esperar que la calamidad llegue a los pecadores y la bendición caiga sobre los justos (James E. Smith, *The Wisdom Literature and Psalms: Old Testament Survey Series* [Joplin: Collage Press Publishing Co., 1995], consultada en Logos Bible Software, §Ec 7:15 y 8:14).

3. La resurrección no es exclusivamente para los justos. Los justos serán resucitados para glorificación y los injustos serán resucitados para eterna perdición (Dn 12:2-3; Jn 5:28-29; Hch 24:15).

4. El texto dice: "Cristo ha resucitado, primicias de los que durmieron es hecho" (1Co 15:20). Las primicias no solamente precedían las cosechas agrícolas, sino que eran también un anticipo de la cosecha. El resto de la cosecha venía después. La propia resurrección de Cristo era las primicias de la "cosecha" de

la resurrección de los creyentes muertos (John MacArthur, *Primera de Corintios: Comentario MacArthur del Nuevo Testamento* [Grand Rapids: Editorial Portavoz, 2003], 480).

5. Los creyentes serán "partícipes" de la gloria divina, pero no se convertirán en dioses. Ellos compartirán la perfecta moralidad y las excelencias de Dios. Según Wolters, el contexto y el uso de la palabra permite que pueda ser traducida como "compañeros" de la naturaleza divina. Según Starr, basado en un estudio comparativo del AT, Josefo, Filo, Plutarco, el estoicismo y el cristianismo paulino, concluye: "Ser partícipe de la naturaleza divina no significa ser divino, sino que Pedro mantiene que los creyentes "compartirán" las cualidades morales de Cristo. Otros han señalado también que Pedro está usando un lenguaje comparativo con Génesis 3:5, 22 (Thomas Schreiner, *1, 2 Peter & Jude*, NAC, ed. E. Ray Clendenen [Nashville: Broadman & Holman P., 2003], 294).

6. El brillo del sol es la máxima expresión de divina gloria revelable. Es una luz tan pura que se usa para describir la pureza del brillo del rostro del Señor (Mt 17:2; ver Ap 1:14-16). Weber comenta que en las Escrituras la imagen de una luz brillante comúnmente se refiere a la justicia y gloria perfecta de Dios (Stuart Weber, *Matthew: Holman New Testament Commentary* [Nashville: Broadman & Holman Publishers, 2000], 202).

7. John Piper, *The Triumph of the Gospel in the New Heavens and the New Earth*, Deerfield: The Gospel Coalition National Conference, 2007, consultado el 4 de Febrero del 2015. URL: http://www.desiringgod.org/conference-messages/the-triumph-of-the-gospel-in-the-new-heavens-and-the-new-earth.

Conclusión

Antes del principio, Dios planificó redimirnos y aplicar todos los beneficios de la redención a aquellos que murieron juntamente con Cristo. En el principio Dios creó los cielos y la tierra y todas las cosas, incluyendo al hombre y a la mujer. A ellos puso como administradores de la creación, y específicamente adoradores encargados del huerto que era regado por el río que fluía desde Edén, hasta que Satanás los engañó, creyeron la mentira y se rebelaron contra Dios.

A pesar de que merecían ser destruidos, Dios fue paciente y misericordioso, no solamente dándoles oportunidad para el arrepentimiento y aplazando la justa y merecida destrucción, sino que sobre todo les reveló la promesa de quien vencería a Satanás y, junto a él, al pecado. Este Salvador prometido sería la esperanza de los hombres que pusieran su confianza en Él, y así lo hicieron.

Todas las generaciones de los hijos de Dios confiaron en la promesa que fue confirmada a través de santos hombres y mujeres: grandes acontecimientos, asombrosos juicios y portentosos milagros. Entre ellos, los más destacados siervos de Dios fueron Set, Noé, Abraham, Isaac, Jacob, Moisés y David. Dios reveló a cada uno maravillosas glorias de aquel Ungido que habría de venir a destruir al diablo y redimir a los suyos del pecado y de la muerte. El prometido Mesías sería Rey de reyes, un profeta mayor que Moisés, el Sumo sacerdote eterno y el Ungido siervo sufriente.

Cuando llegó el tiempo destinado y en cumplimiento a las profecías, el Mesías, Rey, Sacerdote y Profeta, nació de una virgen. Dios con nosotros, *Emmanuel*, descendió de Su trono, se despojó de Su gloria, tomó forma de siervo y se hizo hombre para salvar a su pueblo de sus pecados. Su nombre fue Jesús. Él vivió una vida justa, santa y perfecta y al final de su ministerio fue crucificado en el monte Calvario, en sustitución penal y en perfecta expiación por nosotros los pecadores. Nosotros pecamos, pero el castigo de nuestra salvación fue sobre Él. El Que no conoció pecado, por nosotros Dios le hizo pecado, para hacernos justicia de Dios en Él.

Las últimas palabras de Jesús en la cruz fueron: "Consumado es", resumiendo el resultado alcanzado por Su obra. Allí Él fue la propiciación por nuestros pecados, habiendo sido satisfecha toda la justa ira de Dios. Su muerte demostró la justicia de Dios. Dios es justo no porque condena al pecador, sino que Él también es justo cuando justifica al impío que tiene fe en Cristo Jesús. En la cruz Jesús logró comprar con Su sangre la redención y el rescate de los Suyos, y alcanzó a reconciliar la enemistad existente entre Dios y nosotros.

La obra de la cruz fue perfecta y completa. Toda intención divina de expiar los pecados y alcanzar todo tipo de eterna bendición espiritual para los Suyos fue lograda. No hubo nada que no fuera logrado. Todo lo que necesita el hombre, la cruz lo logró, lo compró, lo garantizó y lo aseguró. La aplicación de estas bendiciones espirituales las hace el Espíritu, porque Él aplica los divinos beneficios a todos aquellos que murieron juntamente con Cristo. Las bendiciones aplicadas más relevantes son:

1. *El llamado.* Por medio de la predicación del evangelio de Jesucristo, el Espíritu Santo llama y los pecadores se convierten a Dios.

2. *El nuevo nacimiento.* El Espíritu crea en nosotros una nueva vida de íntima relación y unión con Cristo.

3. *La fe.* En una palabra, fe es *confiar*. La fe siempre es una respuesta o reacción espiritual apropiada a la revelación de Dios. No es confianza en algo que está más allá del conocimiento humano, sino convicción en lo que Dios ha revelado de Sí mismo en Su creación, en la conciencia, en Su palabra y, sobre todo, en Jesucristo.

4. *El arrepentimiento.* Es una gracia de salvación divina donde el pecador, convencido verdaderamente de que ha pecado, abrazando la misericordia de Dios y despreciando su pecado, se aparta y se dirige a Dios.

5. *La justificación.* Gracias a la obra lograda por Cristo en la cruz, por medio de la gracia divina de la justificación, Dios declara justo al impío que cree, imputando todos sus pecados a la cuenta de Cristo y la perfecta justicia de Cristo a la cuenta del pecador. No es por ninguna obra hecha por el pecador ni por nada bueno en él, sino únicamente por la perfecta obediencia de Cristo, que satisfizo completamente a Dios.

6. *La adopción.* Gracias al glorioso sacrificio de Cristo, Dios Padre nos ha bendecido con toda bendición espiritual, siendo la mayor de estas bendiciones el enorme privilegio de ser Sus hijos. Hemos sido adoptados en la familia de Dios por medio de la obra redentora de Cristo.

7. *La santificación.* Es el proceso de madurez espiritual en santidad que, gracias a la cruz, el Espíritu Santo aplica en nosotros por medio de

la fe hasta que lleguemos a ser tan santos como Cristo. La santidad, en su significado más básico, no es separación, sino más bien lo contrario: es ser *consagrado a* o *devoto a* Dios.

8. *La preservación y la perseverancia.* La encomienda evangélica es que Dios Padre ha garantizado, por medio del Espíritu Santo, preservar todo aquel que le pertenece en Cristo por medio de un infalible diseño. En otras palabras, el creyente perseverará hasta al final gracias a Dios.

9. *La glorificación.* Es la fase final, la culminación de todo el proceso de la redención aplicada. Aquellos que fueron elegidos en Cristo, que fueron predestinados para vida eterna, que fueron llamados por Dios y que creyeron en Su nombre serán glorificados. Cuando Cristo vuelva de manera majestuosa en el día final, todos serán transformados y revestidos de gloria divina. Dios otorgará la gloria lograda a nuestro favor por la obra perfecta de Cristo y, en aquel día, seremos hechos completamente perfectos, santos y gloriosos para siempre.

¿Qué decir después de conocer la salvación de Dios y estar convencidos de Su gran amor? El conocimiento correctamente entendido debe dar frutos: ¡La teología se debe convertir en doxología! Por tanto, siguiendo el ejemplo del Apóstol Judas decimos:

Y a Aquel que es poderoso para guardaros sin caída y para presentaros sin mancha en presencia de Su gloria con gran alegría, al único Dios nuestro Salvador, por medio de Jesucristo nuestro Señor, sea gloria, majestad, dominio y autoridad, antes de todo tiempo, ahora y por todos los siglos. Amén. (Judas 1:24-25).

Índice de las Escrituras

3:17 *136*
5:1-4 *51*
5:5-10 *55*
7:1-28 *55*
9:11-13 *51*
9:27-28 *68*
10:5-7 *25*
10:10 *128*
10:24-25 *131*
11:1 *103*
11:1-6 *49*
11:2 *103*
11:6 *101, 104*
11:6, 13 *104*
11:8-20 *103*
11:24-29 *104*
12:4 *129*
12:10 *128, 130*
12:14 *128*
12:23 *129, 142*

Santiago
1:17-18 *96*
1:27 *130*
2:19 *102*

2:20 *104*
2:20-26 *102*
2:21-24 *104*
2:22 *105*
2:23 *83*
4:4 *84*
5:13 *130*

1 Pedro
1:2 *129*
1:3-5 *136*
1:18-20 *24*
1:21 *135*
1:23 *92*
2:1-2 *129*
2:9 *98*
2:21-24 *66*
3:7 *86*
3:9 *110*
3:18 *66*
4:13-15 *140*

2 Pedro
1:4 *141*
1:10-11 *135*

2:4 *36*
3:17 *136*

1 Juan
2:2 *66, 72*
2:15 *130*
2:19 *86, 136*
3:2 *143*
3:3 *129, 143*
3:21-23 *86*
4:10 *26, 72*
4:20 *86*

Judas
1:24-25 *148*

Apocalipsis
5:9 *30, 80*
5:9-10 *54*
5:9-14 *80*
13:8 *24*
19:15-16 *42*
21:4 *142*

COALICIÓN POR EL EVANGELIO es una hermandad de iglesias y pastores comprometidos con promover el evangelio y las doctrinas de la gracia en el mundo hispanohablante, enfocar nuestra fe en la persona de Jesucristo, y reformar nuestras prácticas conforme a las Escrituras. Logramos estos propósitos a través de diversas iniciativas, incluyendo eventos y publicaciones. La mayor parte de nuestro contenido es publicado en www.coalicionporelevangelio.org, pero a la vez nos unimos a los esfuerzos de casas editoriales para producir y colaborar en una línea de libros que representen estos ideales. Cuando un libro lleva el logo de Coalición, usted puede confiar en que fue escrito, editado y publicado con el firme propósito de exaltar la verdad de Dios y el evangelio de Jesucristo.

TGC | COALICIÓN

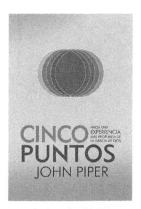

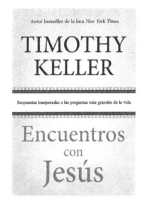

LA PALABRA DE DIOS PARA TI

"Todo Gálatas habla del evangelio: el evangelio que todos necesitamos durante toda la vida. **¡Este evangelio es como dinamita!** Oro para que su poderoso mensaje explote en tu corazón mientras lees este libro".

- *Timothy Keller*

"Jueces muestra que la Biblia no trata de seguir ejemplos morales. Trata de un Dios de misericordia que trabaja en medio de nosotros a pesar de nuestra resistencia a Sus propósitos. **¡Este libro es para nuestras vidas hoy!**".

- *Timothy Keller*

Gracia Desbordante
La gloria de Dios manifestada en nuestra debilidad

¿Quieres seguir a Jesús de todo corazón, pero todavía te sientes muy pecador? ¿A veces te preguntas por qué Dios no te libera de eso, por qué no ves el gozo y la paz que lees en la Biblia? Con mucha vulnerabilidad, Barbara Duguid señala cuál es el propósito que Dios tiene para nuestro fracaso y nuestra culpa. ¡En este refrescante libro volverás a descubrir la gracia desbordante de Dios que hace que el evangelio realmente se sienta como **las buenas noticias**!

Nuevas Misericordias Cada Mañana

365 reflexiones para recordarte el evangelio todos los días. Nada de "frases bonitas de autoayuda". El autor bestseller Paul David Tripp sabe lo que realmente necesitas: un encuentro real con el Dios vivo. Solo entonces estarás preparado para confiar en Su bondad, descansar en Su gracia y vivir para Su gloria todos los días del año. Deja que este libro te energice con el más potente aliento imaginable: **¡el evangelio!**

Gracia sobre Gracia
La nueva Reforma en el mundo hispano

¡*Gracia Sobre Gracia* es un libro fenomenal! Con un lenguaje fresco y relevante para la iglesia de hoy, este libro expone las preciosas verdades que han sido centrales en los verdaderos avivamientos a través de la historia y lo que Dios está haciendo en la iglesia latinoamericana hoy en día. Además aconseja cómo vivir y compartir este evangelio con gracia e integridad para que también transforme a tu iglesia y a tu nación.

¿Quieres ser parte de esta Nueva Reforma?

Cómo Pastorear el Corazón de tu Hijo

¡Las cosas que tu hijo dice y hace fluyen desde el corazón! "Con la gran cantidad de libros que hablan acerca de la crianza, es sorprendente e inquietante ver cuán pocos libros son genuinamente bíblicos. Este libro es una excepción refrescante. Tedd Tripp ofrece una ayuda sólida, confiable y bíblica a los padres. Si buscas una perspectiva correcta y una ayuda práctica, no encontrarás una mejor guía" (John MacArthur).

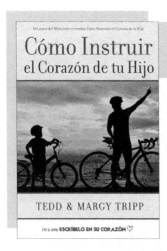

Cómo Instruir el Corazón de tu Hijo

Herramientas prácticas para instruir a tus hijos desde el corazón y no solo desde la conducta. Siguiendo con el tema de la crianza desde el corazón, Tedd y su esposa Margy te invitan a grabar la verdad del evangelio en el corazón de tus hijos cada día. En este libro encontrarás todos los consejos prácticos que te ayudan a poner en práctica la teoría aprendida en *Cómo Pastorear el Corazón de tu Hijo*. Es un libro indispensable: bíblico, práctico, pastoral.

Cuando Pecadores Dicen: "Acepto"

¿Quieres saber cómo el evangelio puede transformar tu matrimonio? ¡Entonces debes leer este libro! De una manera que abraza al lector, Dave Harvey conversa con sinceridad y con humor acerca del pecado y del poder del evangelio para vencerlo. Este libro nos introduce a la verdad deleitosa de la Palabra de Dios y nos anima a que veamos con mayor claridad la imagen gloria hecha por Dios *cuando pecadores dicen: "Acepto"*.

Cinco Puntos

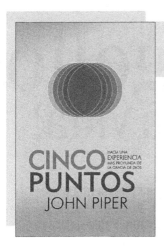

"Imagina la oportunidad de cenar y conversar con John Piper sobre los cinco puntos del calvinismo. Prácticamente es lo que tienes con este libro. **Aquí encontrarás una clara afirmación de estas verdades que cambian vidas**, presentadas con una cálida sensibilidad pastoral y a modo de conversación. No te sentirás intimidado. Más bien te invita a caminar hacia una experiencia más profunda de la gracia de Dios" (Tim Challies).

Solo en Cristo
Una vida centrada en el evangelio

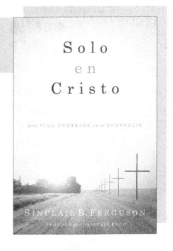

¿Qué sabes de Cristo? Como cristianos debemos tener un claro entendimiento de quién es Jesús, cómo es Él y cuál es Su obra, para que diariamente lleguemos a ser más como es Él en todas nuestras relaciones. Con mente de teólogo y corazón de pastor, el Dr. Sinclair Ferguson nos ayuda a nosotros, los creyentes, a alcanzar un mejor entendimiento de nuestro Salvador y Señor, y luego nos muestra cómo vivir según Sus mandatos en el día a día.

Ídolos del Corazón
Aprendiendo a anhelar solo a Dios

¿Qué es lo que tanto anhelas que tu corazón clama: "Dame esto o me muero"? Cuando respondes esta pregunta con algo diferente a Dios, ¡acabas de descubrir un ídolo! Este libro va dirigido a todos los que se encuentran en una lucha frecuente contra el pecado. Aprenderás que la idolatría se encuentra en el centro de cada pecado recurrente, pero te ayudará a diagnosticar los deseos de tu corazón y dejar atrás esos pecados **con el poder del evangelio.**

El Evangelio
¡para cada rincón de la Vida!

Poiema /POY-EMA/ es la palabra griega que se refiere a una obra creada por Dios. Es la raíz de nuestra palabra "poema", que nos insinúa algo artístico, no una simple fabricación. Pablo dice:

Porque somos la obra maestra (POIEMA) de Dios, creados de nuevo en Cristo Jesús...
Efesios 2:10

El propósito de Poiema Publicaciones es reflejar la imagen de nuestro Creador, creando libros de alta calidad, accesibles, agradables y pertinentes al mundo caído en el que vivimos. Dios nos invita a tomar parte en la redención de toda Su creación en Jesús. En Poiema Publicaciones, sentimos un llamado a que nuestra lectura ¡también sea redimida!

 PoiemaLibros

 Poiema Publicaciones

Visita nuestra web www.poiema.co

Made in the
USA
Columbia, SC